DANÇARELANDO

CIP-BRASIL. CATALOGAÇÃO NA PUBLICAÇÃO
SINDICATO NACIONAL DOS EDITORES DE LIVROS, RJ

D175

    Dançarelando : arte, educação e infância / organização Fernanda de Souza Almeida. - 1. ed. - São Paulo : Summus, 2022.
208 p. ; 21 cm.

    Inclui bibliografia
ISBN 978-65-5549-060-2

    1. Dança - Estudo e ensino. 2. Dança na educação. 3. Educação infantil. 4. Prática de ensino. 5. Educação pelo movimento. I. Almeida, Fernanda de Souza.

21-75093
                                    CDD: 372.868
                                    CDU: 373.3:793.3

Camila Donis Hartmann - Bibliotecária - CRB-7/6472

www.summus.com.br

Compre em lugar de fotocopiar.
Cada real que você dá por um livro recompensa seus autores
e os convida a produzir mais sobre o tema;
incentiva seus editores a encomendar, traduzir e publicar
outras obras sobre o assunto;
e paga aos livreiros por estocar e levar até você livros
para a sua informação e o seu entretenimento.
Cada real que você dá pela fotocópia não autorizada de um livro
financia o crime
e ajuda a matar a produção intelectual de seu país.

FERNANDA DE SOUZA ALMEIDA
(org.)

DANÇARELANDO

Arte, educação e infância

summus
editorial

DANÇARELANDO
Arte, educação e infância
Copyright © 2022 by autores
Direitos desta edição reservados por Summus Editorial

Editora executiva: **Soraia Bini Cury**
Preparação: **Janaína Marcoantonio**
Revisão: **Raquel Gomes**
Foto de capa: **Weslley Tadeu / DiCampana Foto Coletivo
(São Paulo, Piraporinha, 2017)**
Capa: **Alberto Mateus**
Projeto gráfico e diagramação: **Crayon Editorial**

Summus Editorial
Departamento editorial
Rua Itapicuru, 613 – 7º andar
05006-000 – São Paulo – SP
Fone: (11) 3872-3322
http://www.summus.com.br
e-mail: summus@summus.com.br

Atendimento ao consumidor
Summus Editorial
Fone: (11) 3865-9890

Vendas por atacado
Fone: (11) 3873-8638
e-mail: vendas@summus.com.br

Impresso no Brasil

SUMÁRIO

Prefácio 9
Ana Terra

Introdução 13
Fernanda de Souza Almeida

1. Subversões e subversivas: a infância, a criação de espaços
de exceção e os projetos de dança 23
Fernanda de Souza Almeida

2. A dança em território de gente miúda: dialogias
com as múltiplas linguagens infantis 38
Fernanda de Souza Almeida

3. Dançar e brincar: uma experiência de balé com crianças pequenas . . . 55
Taynara Ferreira Silva
Fernanda de Souza Almeida
Nilva Pessoa de Souza

4. Brincadeira de rua: uma abordagem lúdica do *breaking* na escola . . . 71
Jéssica Tavares de Faria
Fernanda de Souza Almeida

5. Dança, criança e tecnologia: a integração de linguagens
no contexto educativo 89
Deyzylany Ferreira Neves
Fernanda de Souza Almeida

6. Pequenos brincantes da educação infantil:
dança e culturas populares brasileiras 114
Fernanda de Souza Almeida
Andreza Lucena Minervino de Sá

7. Contando histórias para dançar:
encontros em arte na educação das infâncias 130
Fernanda de Souza Almeida
Letícia Fonseca de Abreu

8. Dançar com a criança: composição e criação com a pequena infância . . 142
Fernanda de Souza Almeida
Carolina Romano de Andrade

9. Dançarelando na cena infantil: desafios da criação
artística para a criança pequena 160
Fernanda de Souza Almeida
Princesa Ricardo Marinelli

10. Por uma pedagogia para dançarelar: eixos fundantes 178
Fernanda de Souza Almeida

Notas 185
Referências 189

UM CORDEL PARA EMBALAR

Investigar, cutucar, convidar, dançarelar
Um conto da experiência na aventura do criançar
Na poesia do encantamento, dialogar, (com)partilhar
Pensar com as crianças, novos caminhos encontrar

Bifurcações, curvas, pontes, espaços de transgressões
Resiliência, respeito, empatia, fomentando transmutações
Escutar e perceber para iniciar o mover
Coragem para ouvir e ousadia para promover

Um coletivo de artistas, educadores, pesquisadores
Que partem das suas poéticas para descobrir outros sabores
O sabor que tem a dança em diálogo com a infância
O balé, o breaking, a contação de histórias na cultura das crianças

Os saberes populares e as tecnologias
O pensamento imaginário, o extraordinário... a fantasia
A criação artística para os pequenos de pouca idade
A instabilidade e o inusitado na ampliação das possibilidades

ANDREZA LUCENA

PREFÁCIO

Dançarelando – Arte, educação e infância é o terceiro livro de Fernanda de Souza Almeida. Como em seus trabalhos anteriores, os leitores e as leitoras poderão se aproximar de uma consistente produção dedicada ao estudo encarnado da dança entre estudantes de licenciatura na área, professores e gestores da rede pública e crianças pequenas no dia a dia escolar. Todo esse trabalho de cunho relacional, colaborativo e cuidadosamente engajado nos contextos em que é desenvolvido tem como viveiro o Grupo de Pesquisa em Dança: Arte, Educação e Infância (GPDAEI), criado em 2015 e vinculado ao curso de licenciatura em Dança da Universidade Federal de Goiás (UFG), em Goiânia.

A reunião das criações reflexivas desse coletivo de artistas--educadores-pesquisadores nesta publicação tem por propósitos estender as experiências do GPDAEI a outros pares, contribuir para projetos formativos ou de educação continuada e fomentar a produção acadêmica a respeito das relações entre educação, arte, dança e infância. Em ações como esta, o grupo revela sua vocação ativista por uma "educação nacional de qualidade, alinhada às necessidades específicas das múltiplas infâncias brasileiras".

Por tudo isso, o lançamento deste livro já seria motivo para celebrar. Contudo, gostaria de trazer outros motivos, não tão alegres, para sua celebração, posto que sua chegada acontece em meio aos impactos de uma catástrofe sanitária que têm me levado a pensar sobre as relações entre arte, luto, transformação, vida. Algo importante para idosos, adultos, jovens e crianças.

Em março de 2020, deixamos os espaços físicos de trabalho, estudo, cultura, arte, lazer, entre outros, para nos recolher em casa, onde passamos a fazer um pouco (ou muito) de tudo isso. Nas cidades médias e grandes, as ruas ficaram mais silenciosas, menos poluídas, mais tranquilas. Algo que seria bom se não fosse motivado pela disseminação de um vírus ameaçador à vida, principalmente dos adultos em idade mais avançada. De início, respiramos aliviados com o fato de a população mais ameaçada não incluir os adolescentes e as crianças, especialmente as menores. Infelizmente, a sensação de alívio durou pouco.

Marcado por profundas desigualdades sociais e econômicas, sob o comando de um governo negacionista e descompromissado com a preservação da vida da população, até o momento em que escrevo este prefácio nosso país conseguiu ocupar o segundo lugar no mundo em número de óbitos de menores de 19 anos por contaminação do SARS-CoV-2. Em números totais, a Covid-19 levou à morte mais de 617 mil brasileiros: mães, pais, avôs e avós que deixaram em situação de orfandade milhares de crianças e adolescentes. A norte-americana Susan Hillis contesta a ideia de que essas faixas etárias tenham sido menos afetadas na pandemia; em estudo realizado entre março de 2020 e abril de 2021, publicado no periódico científico *Lancet* e amplamente veiculado em diferentes órgãos de imprensa nacionais, a pesquisadora apontou que existem mais de 100 mil órfãos em nosso país. São as "vítimas invisíveis" do coronavírus, chamadas assim devido à falta de dados precisos sobre quem são e quais são suas condições de vida no momento.

Apesar dos cortes sistemáticos à realização de pesquisas em solo nacional, inúmeros pesquisadores de diferentes áreas do conhecimento – dentre elas, a dança – se esforçam herculeamente para observar, analisar e apresentar estudos que possam amparar a definição de políticas públicas – urgentes – na direção de minimizar as consequências de tantas perdas. Refiro-me tanto às mais ameaçadoras, que comprometem a sobrevivência imediata, como também àquelas que já estão a se revelar nas crianças e jovens que deixaram de frequentar a escola, os espaços culturais, as praças, os parques, enfim, os espaços de brincar e de encontrar seus pares, para além do núcleo de convívio doméstico. A vida nas telas intensificou-se sobremaneira: além de filmes, séries, desenhos, jogos, os encontros com colegas, as aulas e até as festas migraram para o espaço virtual. No entanto, para grande parcela de crianças e adolescentes em fase escolar, nem mesmo esse possível espaço de conexão lhes foi ofertado; sem recursos tecnológicos próprios, eles foram excluídos do ensino remoto.

Penso que o sentido último deste livro é chegar às crianças na forma de proposições para dançar. Entretanto, antes disso, será lido por adultos: estudantes e estudiosos dedicados às relações entre arte, dança, educação e infância. E, sobretudo, por professoras e professores que se encontram na escola ou em outros espaços de educação não formal, que também viveram suas perdas e precisam mais do que nunca de suporte(s) – inspiração, experiências, práticas, teorias, pistas metodológicas – para dar continuidade às suas atividades, ações e projetos com os pequenos no retorno ao convívio presencial.

No movimento dançado, a ideia de suporte nos remete à noção de apoio e, consequentemente, à relação com os esforços de sustentação do corpo em diálogo com as forças gravitacionais. E são as trocas entre os apoios corporais que nos permitem alcançar os deslocamentos e o movimento dançado.

Este conjunto de nove capítulos sobre pesquisas artístico-pedagógicas com temáticas específicas, acrescido de um décimo que aponta os eixos fundantes para uma pedagogia em dança para crianças de pouca idade, se revela um precioso apoio para artistas e educadores que, espalhados por todas as cinco regiões brasileiras, nunca param (nem na pandemia!) de se mover pelas e com as infâncias.

No filme francês *Quando tudo começa* (Ça commence aujourd'hui, 1999), o diretor Bertrand Tavernier coloca em cena uma escola de educação infantil em uma cidade atingida pelo desemprego de grande parte de sua população, com consequências sociais devastadoras devido à inerte e burocrática política governamental. Embora o filme seja bastante lembrado por apresentar a luta e o envolvimento de um professor-diretor com sua comunidade escolar, dele me recordo como uma ode às potências da arte em situações de grandes perdas. Diante delas, em dado momento, os professores e as professoras, uma artista--colaboradora, as crianças e seus familiares concebem e produzem uma celebração muito especial – um recomeçar – e, nela, as artes plásticas, a música e a dança se fazem presentes tecendo encontros afetivos, sensíveis e expressivos.

Como bem pontua Fernanda de Souza Almeida ao nos apresentar os eixos fundantes da pedagogia para dançarelar, "o lúdico pode ser concebido como uma ação de muita seriedade para a criança, muitas vezes *possuída* por um impulso criador e uma inspiração livre e vigorosa". Neste momento, me parecem cruciais as celebrações, os encontros, as experiências e as danças que possam mobilizar essas forças tão fundamentais à vida e às infâncias, de maneira que as crianças sigam brincando, (res)significando, imaginando, inventando e corporificando, nos mais diferentes espaços-tempos, modos de existir e mundos outros – e (bem) melhores.

PROFA. DRA. ANA TERRA
Coordenadora do curso de Dança da Unicamp

INTRODUÇÃO

Fernanda de Souza Almeida

Evocar, convocar, ingressar, anunciar o que está por vir. E o que está por vir é o trabalho comprometido, dedicado, verdadeiro e apaixonado de um coletivo que se aproximou pela curiosidade e pelo desejo de fazer diferente. Fazer diferença. Buscar caminhos para suas inquietações na tentativa de contribuir para uma educação brasileira pública de qualidade. Assim se formou o Grupo de Pesquisa em Dança: Arte, Educação e Infância (GPDAEI), vinculado ao curso de licenciatura em Dança da Universidade Federal de Goiás (UFG), em Goiânia – um grupo criado e liderado por mim, professora Fernanda de Souza Almeida, que será mais bem apresentado no início do Capítulo 6, no qual revela seu espírito aventureiro.

Criado no final de 2015, o GPDAEI originou-se do projeto de pesquisa guarda-chuva intitulado "Dançarelando: a práxis artístico--educativa em dança com crianças", que perdurou por quatro anos (2015-2019) e investigou possibilidades de propor a dança no ambiente educacional formal e não formal da cidade de Goiânia, com crianças de 2 a 10 anos de idade, e verificar suas reverberações na formação e nas práticas docentes.

Para tal, nos organizamos em alguns subprojetos envolvendo iniciações científicas, pesquisas de trabalhos de conclusão de curso (TCC) e ações de extensão, entre outros. Dois relevantes eixos de atuação do grupo foram os projetos de extensão e cultura:

a) Dançarelando, que atendeu crianças de 6 meses a 5 anos de idade em encontros dançantes, além de ter ofertado palestras, oficinas e participação em reuniões pedagógicas para o corpo docente, gestor e auxiliares educativos em oito Centros Municipais de Educação Infantil (CMEIs) de Goiânia;

b) Dançarelando em Cena, que pretendeu pesquisar, criar e elaborar uma produção artística em dança destinada ao público infantil.[1]

Ao oferecer vivências em dança com e para as crianças, o projeto de extensão e cultura Dançarelando objetivou despertar na garotada o interesse por essa linguagem artística como possibilidade de descoberta, exploração, criação e jogo com o seu corpo e com o corpo de outra pessoa. Visou, ainda, oferecer novas formas de movimentação e expressão – uma dança alicerçada nos elementos que a compõem: ações corporais (rolar, saltar, girar, balançar, torcer), peso, apoios, eixos, espaços, tempos, corpo todo, suas partes e sensações (Rudolf Laban, 1978; Fernanda Almeida, 2016), em estreita conexão com a ampliação do conhecimento de si, das demais pessoas e do entorno. Um dançar *com*, que estabelece relações e rompe os territórios corporais.

Para cada CMEI, foi desenvolvido um subprojeto de pesquisa específico, inerente às necessidades e curiosidades do local, de suas e seus integrantes e do cotidiano educativo como um todo. Esse é um modo de fazer, estar e pensar a dança que se coloca em relação, para construir junto com as crianças e em parceria com instituições e docentes seu projeto pedagógico e documentos orientadores – uma ação engajada com o contexto.

Antes da ida a campo, a equipe do GPDAEI se reunia para estudar, refletir, elaborar e experimentar corporalmente as propostas de dança que seriam ofertadas às crianças. Além de ser um momento para a partilha de experiências, para a formação docente e novos aprendizados, desejávamos fomentar a produção acadêmica a respeito da interface arte e infância.

As investigações realizadas em cada subprojeto foram convertidas em artigos científicos e publicadas em revistas acadêmicas especializadas nas áreas de conhecimento da arte e da educação. Este livro é fruto desse trabalho, e tem o inabalável desejo de contribuir para uma educação nacional de qualidade, alinhada às necessidades específicas das múltiplas infâncias brasileiras, além de favorecer o acesso de docentes, estudantes, pesquisadoras, pesquisadores e pessoas interessadas no tema.

São nove artigos que tematizam a prática artístico-educativa com as crianças. Os textos foram alinhados entre si, modificados, atualizados e ampliados, trazendo novas reflexões, outras vivências, exemplos de atividades que foram realizadas com a meninada e comentários advindos de inquietações do fazer real, contextualizado, no chão da escola. Ou seja, mantive a característica geral dos livros anteriores (Almeida, 2016; 2018) sobre compartilhar ideias e vivências com as crianças.

Assinalo que apenas o Capítulo 8 não provém de um desses subprojetos, mas foi escrito durante o período de ações do Dançarelando e inundado de suas concepções. Dessa maneira, relendo esse artigo, compreendi que, além de estar inserido no escopo proposto para o livro, valeria a pena compartilhá-lo pela emergência do assunto abordado: os processos de criação com meninos e meninas de pouca idade; as polêmicas "coreografias" produzidas para as festividades.

Dentre as inserções e renovações que os textos receberam, aponto para a alteração da terminologia, em concordância com o Colectivo Filosofarconchicxs (2018), que destaca que a escolha da linguagem revela a forma como concebemos a sociedade. Assim, trabalhei em dois pontos centrais:

1. A utilização dos termos gente miúda, crianças pequenas, meninada, meninas e meninos de pouca idade, gente pequena, criançada, garotada, seres de pouca idade, entre outras palavras similares, para me referir, de maneira carinhosa, às crianças de até 5 anos de idade. Corroborando com Patrícia Prado (1999, p. 112), o intuito de tal opção terminológica é delinear as crianças por aquilo "que são e na grandeza do que representam".

2. Uma escrita que usa palavras nas duas formas de gênero no plural, iniciando pelo marcador feminino seguido pelo masculino, além dos coletivos neutros (docentes, discentes, estudantes). Tal

decisão intenta dar visibilidade e militar pelo empoderamento feminino, uma vez que o universo da dança e da educação das crianças pequenas envolve majoritariamente mulheres. Por essa razão, em muitos momentos optei apenas pela forma feminina de escrita, uma vez que também remete ao coletivo "pessoas". Entretanto, ao trazer os registros em diário de campo das e dos discentes do curso de licenciatura em Dança da UFG, bem como as citações diretas das referências bibliográficas, respeitei suas formas originais de redação.

Um eixo de ação do GPDAEI que aqui merece destaque é o das experimentações em ambiente real, a ação cotidiana, empírica e dialética em diálogo com autoras e autores da educação infantil e da dança – um encantamento por atuar e revelar o "chão" da escola em seus sabores e dissabores, bem como ampliar e aprofundar uma mirada para as crianças reais, históricas, sociais e culturalmente situadas, não idealizadas. Sobre isso, Sandro dos Santos (2015, p. 227) destaca

[...] o acesso aos fragmentos característicos do cotidiano, pormenores que, de forma miniaturizada, são pedaços de grandes transformações. Segundo Pereira (2012), são esses fragmentos, muitas vezes despercebidos, esquecidos ou banalizados, que aguçam a percepção humana e demandam a esta, intermitentes questões.

Trata-se de um interesse particularmente meu, de mergulho no campo, para conhecer a realidade e "falar de dentro", a partir da complexa trama de relações da sociedade. Sobre isso, revelo que me envolvi assiduamente em todas as ações do Dançarelando, ora oferecendo vivências à meninada, ora me misturando a elas ou por meio de observações participantes – além de orientar as pesquisas, oportunizando uma formação docente em contexto.

Ao longo desses anos, incentivada pelas reflexões advindas do processo de doutoramento na Faculdade de Educação da Universidade de São Paulo (Feusp), percebi as muitas mudanças em minha prática profissional acerca das diferentes perspectivas na maneira de atuar, pesquisar e escrever sobre/com as crianças.

As incertezas e os incômodos me fizeram experimentar diversos caminhos e, ao reavaliar meu percurso, encontrei recorrências, mudanças de concepção, (trans)formações, (re)construções, bifurcações, desvios e refutações. Notei que os pilares que pautam meus interesses investigatórios se consolidaram em dança, educação infantil e formação docente.

Não obstante, houve uma mudança nas preposições utilizadas nos textos: de dança *na* educação infantil e *para* crianças, passamos a dança *com* elas. A esse respeito, Lenira Rengel (2018) frisa que as preposições estabelecem conexões de sentido entre os termos de uma frase. Isso revela que a dança, na minha visão, deixa de ser uma escolha de pessoas adultas a ser realizada pelas crianças, passando a ser uma experiência (*com*)partilhada, uma relação horizontal, participativa e de responsabilidade entre ambas as partes.

Além do mais, vou me distanciando paulatinamente de uma fundamentação nas teorias de Henri Wallon (1975; 2007), Vitor da Fonseca (1995; 2008), Lev Vigotski (1999; 2010) e alguns de seus interlocutores – Abigail Mahoney e Laurinda de Almeida (2004, 2009); Zoia Prestes (2010) – e me aproximando de autoras e autores da pedagogia da educação infantil e da sociologia e filosofia da infância, entre elas Márcia Buss-Simão (2009), Deborah Sayão (2002a; 2002b), Márcia Aparecida Gobbi e Mônica Pinazza (2015), Ana Lúcia de Faria, Zeila Demartini e Patrícia Prado (2009), Altino Martins Filho e Patrícia Prado (2011) e Manuel Sarmento (2005). Mudanças de concepção provenientes de uma "desobediência epistêmica" (Almeida, 2017b, p. 2310), que se afasta de um modo de pensar, ser, estar e agir em relação à garotada característico da visão desenvolvimentista e etapista de ensino e aprendizagem.

Assim, no Capítulo 1, "Subversões e subversivas: a infância, a criação de espaços de exceção e os projetos de dança", revelo os caminhos adotados para a elaboração dos projetos ofertados a oito CMEIs da cidade de Goiânia. Tais construções partiram de um dos pressupostos centrais do Dançarelando, cujo norte é a concepção de crianças como seres de direitos contextualizados, protagonistas da própria vida. Para tal, a equipe do projeto imergia em um processo de reconhecimento – da cidade, do bairro, da cultura produzida pelas crianças e dos projetos em andamento desenvolvidos pelas professoras regentes dos CMEIs –, almejando a oferta de experiências dançantes que fizessem sentido para a garotada e contribuíssem para a ampliação das experiências de si, das demais pessoas, da arte e dos sentidos.

O Capítulo 2, "A dança em território de gente miúda: dialogias com as múltiplas linguagens infantis", apresenta o projeto Dançarelando e as vivências em dança com crianças de 12 meses a 4 anos, utilizando a integração de linguagens. Por meio da pesquisa-ação, as investigadoras buscaram o diálogo entre dança, poesia, contação de histórias e desenho, valorizando as diversas maneiras pelas quais meninas e meninos se expressam. A experiência possibilitou observá-las sentindo o corpo, descobrindo movimentos, conhecendo culturas e criando danças próprias.

No Capítulo 3, "Dançar e brincar: uma experiencia de balé com crianças pequenas", as pesquisadoras examinaram a possibilidade de abordar o balé por meio do lúdico com crianças de 4 e 5 anos de idade, matriculadas em uma academia na cidade de Inhumas (GO). Da pesquisa-ação, partiu-se para o estudo de um referencial teórico que discorresse sobre o tema (Huizinga, 2000; Kishimoto, 2007; Almeida, 2016), seguido da elaboração de um curso com a oferta de 15 intervenções em dança para uma turma de *baby class*[2] com 12 participantes. As vivências foram permeadas de jogos, brinquedos cantados, brincadeiras e faz de conta como caminho metodológico de abordar a dança com a pequenada. Notou-se que as crianças aprenderam os passos do balé brincando e se divertindo, destacando o lúdico como uma estratégia interessante para as vivências nessa modalidade de dança.

Já o Capítulo 4, "Brincadeira de rua: uma abordagem lúdica do *breaking* na escola", visou investigar, elaborar e aplicar uma possibilidade lúdica de trabalhar o *breaking* com crianças do 1º ano do ensino fundamental de uma escola estadual de Senador Canedo (GO), tendo em vista a educação para as relações étnico-raciais. Ao final, as 13 intervenções revelaram que a conexão entre *breaking*, lúdico e relações étnico-raciais é um caminho possível, atraente e significativo para oferecer a dança na escola, especialmente no que tange à ampliação do conhecimento de arte, cultura e diversidade.

O Capítulo 5, "Dança, criança e tecnologia: a integração de linguagens no contexto educativo", mostra uma investigação que buscou experimentar uma maneira de vivenciar a dança com crianças de 4 e 5 anos de idade em um CMEI da cidade de Goiânia, tendo as tecnologias de informação e comunicação (TIC) como eixo central dos procedimentos metodológicos. Nesse estudo de caso, foram promovidos dez encontros dançantes utilizando celular, *datashow* e *tablet,* entre outros recursos eletrônicos. Tal estudo pode colaborar com a formação de professoras/es, uma vez que as diretrizes curriculares sobre a profissão docente frisam a necessidade das TIC para o aprimoramento das práticas pedagógicas e a expansão cultural das pessoas envolvidas, bem como a impulsão de outros modos de abordar a dança em uma interface crítica e criativa com as TIC na educação infantil.

O Capítulo 6, "Pequenos brincantes da educação infantil: dança e culturas populares brasileiras", apresenta uma proposta de intervenção em dança com crianças goianienses de 4 anos de idade, trazendo em seu cerne a complexa trama de saberes das culturas populares brasileiras – o lúdico, o conto, a música, o ritmo, o movimento e a dramatização –, tendo como principal inspiração os Parques Infantis de Mário de Andrade.

Para a construção da proposta, elencamos três eixos de ação: fundamentos brincantes, elementos da dança e estratégias de abordagem. E, entre gatos, cachorros, caranguejos, sapos, jacarés, coiós, cacuriá[3], ciranda, jongo, bumba meu boi, capoeira, catira[4], cantigas, cordéis, brincadeiras, jogos, brinquedos, adivinhas, palmas, adoletas, mapas do Brasil, vídeos, dobraduras e pinturas, entramos na roda e exploramos – de modo mágico, metafórico e lúdico – palavras, sons, expressões e gestos. As crianças desenvolveram vivências da dança tendo por eixo condutor os saberes populares.

Ao assumir a alteridade da infância em suas produções e expressões multilinguageiras, particularmente as corporais, as lúdicas e as imaginárias, o Capítulo 7, "Contando histórias para dançar: encontros em arte na educação das infâncias", buscou uma possibilidade de dançar e brincar com a contação de histórias na educação infantil, com o intuito de colocar em cena meninas e meninos de pouca idade. Desse modo, entre experimentações de peso, espaço, deslocamentos, apoios, ações corporais e dinâmicas, propusemos dançar a história contada, contar a história dançando e narrar para as crianças dançarem ao mesmo tempo; escutar em áudio, assistir em vídeo, criar as próprias histórias, desenhar a história para que seus traços fossem dançados, recitar poemas, arriscar, frustrar-se e se divertir. Ao longo do percurso, a garotada pulsou com a história e penetrou nas imagens, criando e recriando com o corpo inteiro que são, no encontro entre as artes, em processos sensíveis e poéticos de ludicidade.

Já o Capítulo 8, "Dançar com a criança: composição e criação com a pequena infância", destaca alguns fundamentos da dança na educação infantil e desperta um olhar para os processos de criação das crianças pequenas nessa linguagem artística, ressaltando situações da prática *in loco*. São compartilhadas duas experiências em contexto, almejando fomentar a formação docente por meio do debate e da sistematização de propostas sensíveis e criativas, as quais colocam meninas e meninos como protagonistas do processo, participando ativamente das decisões, em diálogo com a/o docente. Nesse sentido, é importante que a professora se embrenhe no universo infantil para oferecer pistas que ajudem as crianças a estabelecer relações de experiência com o mundo, auxiliando-as a descobrir e compor uma dança própria por meio da ludicidade.

No Capítulo 9, "Dançarelando na cena infantil: desafios da criação artística para a criança pequena", destacam-se desafios pertinentes à criação em dança para crianças, tendo como referência o projeto Dançarelando em Cena (UFG). No diálogo entre o relato da experiência e o referencial bibliográfico sobre infância, experiência estética e processos criativos, levantam-se estas questões: como o corpo adulto pode construir uma presença cênica que se vincule de fato com a sensorialidade de crianças? Como não incorrer numa didatização exagerada, mas promover experiências estéticas que as engajem de modo complexo? As experiências indicaram que enfrentar tais desafios demanda tratar as crianças como seres completos e específicos, não barateando o rigor e a excelência artística nem na criação, nem nas escolhas estéticas.

Por fim, o Capítulo 10, "Por uma pedagogia para dançarelar: eixos fundantes", apresenta os princípios metodológicos gerais que pautam as práticas educativas do Dançarelando com a garotada de pouca idade nos diferentes contextos de atuação, sendo eles o lúdico, as múltiplas linguagens, a educação do sensível (Duarte Junior, 2004), a interação, a improvisação, a apreciação estética, a criação e a criança como participantes ativas do processo – fundamentos que perdem suas fronteiras, entremeando-se na tentativa de construir redes de relações criativas e inusitadas entre corpo, movimento, eu, outra/o, arte, educação e sociedade. Um pensar sobre, com, a partir e a favor da infância, na tentativa de inventar uma "pedagogia para dançarelar".

Caso haja interesse em ver essas e outras ações e atuações do GPDAEI, o Instagram do Dançarelando (@dancarelando) compartilha fotos, filmagens e videoclipes produzidos ao longo de cada percurso. Além do mais, pode-se conhecer as novidades, os lançamentos, outras produções, sugestões de eventos e falar conosco. É só acompanhar.

Boa leitura!

1. SUBVERSÕES E SUBVERSIVAS: A INFÂNCIA, A CRIAÇÃO DE ESPAÇOS DE EXCEÇÃO E OS PROJETOS DE DANÇA[1]

Fernanda de Souza Almeida

Espaço de transgressão atrás do bambuzal

Há muito tempo, tínhamos medo do bosque. Era o bosque do lobo, do ogro, das trevas. Era o lugar onde a gente podia se perder. Quando os avós nos contavam as fábulas, a floresta era o lugar preferido para esconder inimigos, armadilhas, angústias. No instante em que o personagem entrava na floresta, começávamos a ter medo; sabíamos que algo poderia acontecer, que algo ia acontecer.
O conto se tornava cada vez mais lento; a voz, mais grave; ficávamos perto uns dos outros e esperávamos pelo pior. O bosque era assustador, com suas sombras, ruídos sinistros, o canto lúgubre do cuco, os galhos que de repente te agarram. (Tonucci, 2010, p. 4, tradução minha)

Será que agora são os bosques que amedrontam as crianças? Ou são as cidades, as ruas, as edificações e o concreto em toda a sua aspereza? As crianças não têm rosto nas cidades, nem desejos ou coisas relevantes para dizer; zombam de suas perguntas, ignoram suas ideias e menosprezam sua curiosidade. Frequentemente nós as vemos arrastadas pela mão, acompanhadas de uma voz de comando adulta com o seguinte teor: "Anda logo!" São pernas pequenas, olhos vivos de curiosidade sobre o mundo, a cabeça virada para trás ou para os lados admirando a paisagem local. Por falar nisso, "olha para frente, se não vai cair ou bater a cabeça... Não disse? Você não escuta!"

As crianças têm um rosto nas cidades quando são bonitinhas e estão comportadas, sentadas e quietas. Porém, quando choram, contestam ou fazem birra, principalmente no transporte público, são insuportáveis: "Criança malcriada!" Se moram na rua também não têm um rosto próprio, pois todos as chamam de trombadinhas – e segura a bolsa porque elas estão vindo!

Todavia, no meio da multidão conseguem ser bem diferentes, não só no aspecto físico (estatura, peso, fisionomia, compleição), mas sobretudo em suas expressões, em seu modo de compreender o ambiente e construir o pensamento. Ou seja, elas têm um ponto de vista mais sensorial – especialmente tátil – e imaginário, que faz frente à racionalidade das/os adultas/os, cuja vista está escurecida pelo cotidiano e pela repetição (Henri Lefebvre, 2011). As crianças são heterogêneas e singulares no espaço urbano.

A esse respeito, Irene Rizzini, Mariana Neumann e Arianna Cisneros (2009) destacam a percepção de infância arraigada em nossa sociedade, bem como no discurso das ciências humanas e sociais, como um estágio de preparação para a vida adulta, principalmente nos âmbitos psicológico e cognitivo. A infância é entendida como

[...] um fenômeno universal e fruto, em grande medida, do seu desenvolvimento biológico. Isto quer dizer que todas as crianças, independente do seu contexto social, seriam semelhantes caso se encontrassem no mesmo estágio de desenvolvimento, sendo, em geral, definido pela idade. (p. 62)

Ainda segundo as autoras, tal paradigma destaca certa incompetência, imaturidade e dependência de meninas e meninos e acaba por subestimar sua capacidade cognitiva. Nesse sentido, há um grande investimento para apropriar-se das crianças a fim de modelá-las à imagem das pessoas adultas; a fim de torná-las depositárias de um mundo criado para elas por quem sabe o que é melhor. "Vai, sim. Eu mandei e pronto. Criança não tem querer". Como apontam Anete Abramowicz e Tatiane Rodrigues (2014), tal pressuposto faz que

> […] a criança não seja mais do que uma potência, um potencial que a sociedade protege e põe de parte, como que em reserva, prometendo-lhe um futuro que, por vezes, a deixa desprovida de presente […]. A questão é que há uma infância que modela a criança. Quem concebe a infância é o adulto, que a pensa de maneira pregressa e assim retira a potência e a possibilidade de transformação que há na própria infância. A criança está empobrecida no aluno, no pequeno consumidor, e empobrecida em ideias preconcebidas de infância. (p. 465)

Todavia, mergulhadas nessa tentativa de cooptação pela mídia, pelo capitalismo e por toda essa gente grande, como as crianças conseguem manter suas peculiaridades? Elas deturpam tudo que as cidades e os tempos atuais tentam para impedir os encontros e as relações (Lefebvre, 2011). A maioria tem grande facilidade para estabelecer contatos recíprocos; não precisa ser com pessoas conhecidas – basta uma aproximação para que iniciem uma brincadeira, trocas, confabulações e reelaborações culturais. Elas se aproveitam de sua invisibilidade para escapar aos olhos adultos! Num cantinho atrás de uma moita, de uma árvore ou de uma plantação de hortênsias, organizam espaços de exceção para criar suas culturas e estabelecer seus estatutos sociais, mesmo que não reconhecidos pelas pessoas adultas. Assim, nos locais escolhidos, as crianças se unem e se fortalecem na infância, claro que sempre influenciadas e influenciando o meio em que vivem, mas se esforçando para manter sua identidade de gente miúda.

Dessa forma, pode-se reconhecer que a diversidade dos contextos sociais e culturais é que dá cor aos modos, aos estilos de vida e aos caminhos do desenvolvimento de cada criança, ou seja, a infância é uma construção social (Rizzini, Neumann e Cisneros, 2009). No complexo processo de constituição das cidades e das suas formas de (não) relação, as crianças vão aprendendo a ser crianças.

As diversas sociedades, nos diferentes contextos históricos, consideram as infâncias de modos variados, o que resulta em várias concepções que produzem o ser criança. Dessa maneira, meninas e meninos de pouca idade acabam se conformando com um jeito de ser para se adequar ao mundo adulto e aprender os significados da vida em sociedade (Sarmento, 2005).

Nesse sentido, a complexidade que comporta a condição infantil é enorme, pois são múltiplas e variadas as formas de existência dessa garotada em uma sociedade adulta (Sarmento, 2005), além de estarem sujeitas às categorias de classe social, raça, etnia, cultura e moradia.

A atual conformação das grandes cidades resulta do processo de industrialização, que impôs uma nova configuração às relações sociais e modelou a sociedade contemporânea. A nova urbe foi conceituada por Henri Lefebvre (2011) como o centro de vida social e política onde se acumulam não apenas riquezas como também conhecimento, técnicas e obras. Já para Jane Jacobs (2014), o modelo atual de cidade é caracterizado pelos tipos de laços sociais, pela relação com a natureza, pelos estilos de vida, por tecnologias e valores estéticos que se estabelecem cotidianamente.

Por esse ângulo, cada cidade determina sua forma de existência por meio do estabelecimento de contratos sociais implícitos (Lefebvre, 2011), tais como os modos de se comunicar, de pronunciar as palavras, de se vestir, andar, gesticular; desse modo, a culinária regional, as preferências musicais, a religião predominante, as crenças, os valores, as maneiras de constituir família, o papel da mulher na sociedade, os lugares e os tipos de encontro entre os cidadãos, a relação que têm com o trabalho, entre outros, conferem uma identidade àquele espaço urbano, gerando uma noção de infância que determina o ser criança.

A esse respeito, Edmir Perrotti (1984) alerta que tal maneira de existir está profundamente enraizada no tempo e no espaço em que esses seres de pouca idade vivem, interagindo ativa e dinamicamente com as categorias socioeconômicas, históricas, de gênero e de raça. Somando-se a isso, Félix Guattari (1987) aponta que o inconsciente da criança é inseparável do inconsciente adulto. Ela está inteiramente contaminada por tudo, sobretudo pelos valores da sociedade dominante.

Desse viés, as crianças de Goiânia são diferentes das crianças de São Paulo ou de qualquer outra cidade do Brasil, quiçá do mundo. Aproveitando tal diferenciação de modos de vida que há entre as cidades, centramos os projetos de dança ofertados a oito Centros Municipais de Educação Infantil (CMEIs) da cidade de Goiânia.

Goiânia localiza-se na região Centro-Oeste do Brasil, a 209 quilômetros de distância de Brasília. A maior parte de seu território é plana e conta com uma área verde privilegiada, com 32 parques e bosques de conservação e de implantação mantidos pela prefeitura, acarretando o maior número de metros quadrados de áreas verdes por habitantes no Brasil. Segundo informações do Instituto Nacional de Meteorologia (Inmet, 2019), a concentração de chuvas se dá no verão, o que gera uma temperatura mais amena, que gira em torno de 20 a 29°C. Como o inverno é caraterizado pela baixa umidade do ar, a temperatura e a percepção de calor sobem consideravelmente, chegando a 35/37°C. Ou seja, o inverno é quente e seco, ao passo que o verão é fresco e úmido, bem diferente da maioria das demais cidades brasileiras.

Por causa de tais peculiaridades, nessa cidade as crianças são vistas predominantemente em parques e bosques. Elas vão para as escolas de chinelo e, em muitas delas, permanecem grande parte do tempo descalças. O que parece ser uma ação corriqueira faz Henri Lefebvre (2011) alertar que a expansão do capitalismo tem provocado, em países como o Brasil, uma das situações mais difíceis para as crianças, uma vez que a pressão sobre a mercantilização do espaço urbano vai retirando pouco a pouco o quintal, a rua, o jardim, as praças e as áreas livres – locais essenciais de encontro da meninada para promover seus escapes, possibilidades de criação de si e do entorno, experimentação de um convívio social diferente do núcleo familiar e da escola, em que as próprias crianças lideram, obedecem a regras traçadas pelo próprio grupo, entre outros.

Ainda sobre o município goianiense, Renatha da Cruz e João B. de Deus (2014, p. 8) apontam que

> [...] o desenvolvimento dos cerrados não se deu de forma espontânea, e sim como resultado de planos, projetos e parcerias que buscavam de forma estratégica a incorporação de terras no cenário produtivo agrícola brasileiro. E essa incorporação de terras, atrelada ao uso crescente de tecnologias no campo e à consequente valorização destas, gerou outro problema na estrutura fundiária: os camponeses não conseguiram acompanhar tais mudanças e necessitaram buscar alternativas de vida. [...] Goiânia, para a maioria deles, representava a oportunidade de dias melhores, a aquisição do espaço privado, o direito ao desfrute da urbanidade propagada.

Segundo esses autores, a decisão de edificar uma nova capital para promover uma ocupação mais homogênea do Centro-Oeste brasileiro favoreceu a integração do território goiano às dinâmicas econômicas nacionais e internacionais. No entanto, essas ações estiveram sob forte influência das relações contratuais e de negociações políticas, o que resultou em um crescimento desigual da rede urbana, em que se nota com facilidade a hierarquia dos bairros (ou setores, como são denominadas as unidades mínimas de urbanização goianienses).

Ademais, a capital de Goiás é construída por migrantes, recebendo também um grande percentual de pessoas do interior goiano, além dos sudestinos, nordestinos e sulistas. Essa presença é tão substancial que fez que algumas instituições de educação formal, a exemplo da Escola Municipal Professora Maria Nosídia Palmeiras das Neves, situada na região noroeste de Goiânia, modificassem o cardápio e adaptassem os temas de seus projetos educativos para aproximar a cultura da maioria das crianças, cujos pais vêm do Maranhão.

No processo de povoamento de Goiânia (assim como de outras cidades), os grupos com menor renda se instalaram nas áreas mais longínquas do centro devido ao valor do solo urbano (Jacobs, 2014). Todavia, a distância física é também social, cultural e artística, uma vez que contribui para uma marginalização da população segregada, como frisa Francesco Tonucci (2010). Com isso, os bairros dormitórios são evidentes; são bairros em que trabalhadoras e trabalhadores saem pela manhã e voltam apenas à noite, caracerizados pela ausência de lugares de encontro, convivência e trocas sociais. Essa separação e especialização das áreas geográficas se aplica à maioria das cidades brasileiras, mas em Goiânia tal segregação se sobressai.

É incomum observar cidadãos de classes sociais distintas circulando no mesmo espaço, seja em supermercados, parques, transporte público, *shopping centers* e até mesmo na rua. Inclusive se observa um código velado de vestimenta e comportamento que, por vezes, influencia a maneira como se é atendido em determinados recintos. Essas são as percepções de uma paulista, autora deste texto, que conviveu por 30 anos com a grande diversidade de uma megalópole.

Assim, embora a maioria das crianças ande de chinelo, sobretudo por causa do forte e constante calor, notam-se diferentes marcas, estilos e modelos de tais calçados. A segregação e os códigos culturais acabam selecionando o tipo de criança que ocupa cada local público, como bem pontua Jane Jacobs (2014) – em especial os parques, mote da foto que abre este capítulo. Esse fator também influencia o ser criança nessa cidade.

Dando ênfase à foto, destaco que ela foi tirada logo que cheguei a Goiânia, pois eu buscava elaborar projetos em dança apropriados às particularidades das crianças dali.

Como vinha de uma experiência de 15 anos como professora e pesquisadora na linguagem artística da dança na rede particular e pública de ensino da cidade de São Paulo, desejei conhecer as meninas e meninos de pouca idade de Goiânia a fim de realizar um trabalho contextualizado, efetivo e com sentido, pois vim para a capital goiana como docente da Universidade Federal de Goiás (UFG). Além do mais, estava assumindo a disciplina de estágio curricular obrigatório no curso de licenciatura em Dança e almejava iniciar um projeto de pesquisa e extensão que desse continuidade às minhas investigações em dança com a infância.

Com isso, ao longo de dois meses, saí à deriva pela cidade, observando as pessoas, as configurações relacionais, urbanas, sociais e culturais, mas em especial a garotada goianiense. A respeito da foto, destaco que é necessário, ainda, como aponta Karina Kuschnir (2014),

> "[...] tratar a dimensão imagética de uma pesquisa não como documento da realidade objetiva ou como mera ilustração de textos verbais, e sim como um material pleno de significados culturais produzidos a partir das interações entre pesquisador, pesquisados, produtos e contextos históricos" (p. 40).

Dessa maneira, não descreverei a imagem inicial, mas quero propor a quem lê que, com as informações apresentadas ao longo do texto, retome e observe a foto como uma teoria, como uma experiência completa que aguça o sensorial e a imaginação, traçando paralelos e reflexões acerca da criança goianiense: contextualizada, datada e permeada de uma cultura e um modo de viver específicos.

A situação registrada aconteceu em um dos vários parques urbanos de Goiânia, o Areião, num momento de subversão ocorrido atrás do bambuzal. Um espaço reservado, relativamente fora do ângulo de visão e audição dessa gente grande, que as crianças criaram em um lugar público, assim como um canto, ao fundo do jardim, onde Manoela Ferreira (2010) observou a gente miúda de sua pesquisa.

Saliento que o parque Areião, situado na região sul da cidade, é um dos pontos turísticos da capital. Trata-se de um local envolto por uma apreciada área residencial que abriga projetos de educação ambiental. Dessa maneira, as crianças que frequentam o local não calçam os mesmos chinelos que as crianças dos parques não tão cobiçados.

Entretanto, apesar de estarem livres das paredes e rodeadas por uma pequena circulação de pessoas, as crianças brincavam no parque como se fossem invisíveis e só se incomodavam quando tomavam consciência de olhares que julgavam invasores dos assuntos de crianças. Segundo Manoela Ferreira (2010, p. 172), esse paradoxo entre o público e o privado para o espaço social infantil

> [...] tornava-me aos seus olhos uma representante do poder e autoridade atribuídos socialmente aos adultos. Ora, a ação observada desenrolou-se numa área da sala sem quaisquer barreiras físicas que a ocultassem, coexistindo aliás. Este aparente paradoxo reenvia novamente ao entendimento da noção de privacidade como sendo gerada nos modos como ela é percebida, experimentada e conotada pelas próprias crianças que nela estão envolvidas e participam. [...] O que constitui ou não um encontro ou um domínio de privacidade das/pelas crianças não pode ser então completa e exclusivamente definido *a priori* nos termos adultos.

Naquele lugar, elas estavam empoderadas da sua função de mudar o mundo, de transformar um graveto em varinha mágica, barro em bolo, folhas de árvore em estradas para caminhõezinhos de plástico; era um local onde enterravam tesouros e no qual "o ontem à noite abrange horas ou meses, e o logo mais pode querer dizer o próximo século" (Subcomandante Marcos, 2001). Ali, transgrediam algumas regras determinadas por essa gente grande, reelaboravam, à sua maneira, situações rotineiras e construíam outros/novos acordos roubados das pessoas adultas, aproveitando os recursos que o ambiente oferecia (Tonucci, 2010). O parque era o local de subversão, que poderia acontecer, também, nos momentos não dirigidos do espaço educativo formal.

Trata-se de um processo tanto criativo quanto reprodutivo em que as crianças se deslocam da lógica da cultura adulta, transformando a si, as coisas e o entorno sem perder de vista quem/o que realmente são (Sarmento, 2005). Esse princípio lógico onírico também é essencial à arte e às linguagens poéticas, nas quais a subversão da identidade e da sequencialidade são constitutivos dos processos de significação (*ibidem*).

Nesse processo, observei crianças à vontade com insetos, flores, cores, árvores, pássaros, macaquinhos-prego e pés no chão; seres de pouca idade que comem pequi com arroz, pamonha, galinhada e peta (um biscoito regional), sabem a diferença entre caldo e suco de laranja e têm medo de não dar conta quando algo dá errado. Da mesma forma que as crianças de outros municípios, a garotada goianiense tem um modo bastante singular de existência! E foram justamente tais temas que se transformaram nos pontos de partida para as ações em dança.

Sob tais singularidades, o projeto de pesquisa "Dançarelando: a práxis artístico-educativa em dança com crianças" foi idealizado juntamente com o projeto de cultura e extensão Dançarelando, comentado na introdução deste livro. Grande parte das instituições de ensino atendidas pelo projeto estava localizada na zona norte de Goiânia, região com vários locais onde a natureza se destaca. Sendo assim, transitamos entre as ações corporais da borboleta que flutuava em peso leve, da lagarta que rastejava e ondulava, das formigas que picavam/pontuavam, dos níveis espaciais da nuvem e das pedras, transformando-os em dança.

Nesse sentido, todos os projetos foram elaborados a partir de uma imersão no contexto educativo e na cultura local, sobretudo das crianças, almejando conhecer a realidade, o cotidiano, as características e necessidades de cada instituição educativa, a maneira como as crianças se relacionavam, o que falavam, do que brincavam, suas regras de convivência e curiosidades, por meio de observações não participantes e participantes.

Dispusemo-nos a caminhar por diversos CMEIs, identificando seus espaços e a disponibilidade de materiais. Olhávamos para o rostinho das crianças, sentíamos o clima/energia do ambiente, participávamos de atividades como servir a merenda, acompanhar alguma criança ao banheiro, brincar e auxiliar as pedagogas. Conversávamos com professoras, auxiliares, colaboradoras e gestoras na tentativa de nos aproximarmos da organização tão peculiar de um CMEI, além de apreender os projetos que estavam sendo desenvolvidos com cada agrupamento[2] etário.

A esse respeito, eram comuns os registros das pesquisadoras em seu caderno de campo, como os que seguem:

Gostei muito da observação de hoje, acho que propiciou novas descobertas muito significativas para auxiliar na construção das atividades em dança. (Diário de campo, 14/8/2018)

Como das outras vezes, cheguei para acompanhar o lanche da criançada, circulei um pouco para que eles me vissem e fiz questão de ficar próxima deles e cantar junto as músicas do acolhimento. Notei a felicidade que têm nesse momento e pensei em iniciar o projeto de dança a partir de tais canções. Muitas crianças me receberam com acenos ou cumprimentos de boa tarde, um menino me perguntou: "Professora, é hoje que você vai brincar com a gente?" Respondi: "Sim, é hoje!" E um sorriso brotou no rosto dele. (Diário de campo, 21/8/2018)

Ações como essas motivaram a elaboração de projetos de intervenção em dança que fizessem sentido àqueles contextos, respeitando o ser criança de cada instituição. Tais projetos se aproximavam das danças urbanas, da contação de histórias, das tecnologias da informação e comunicação, das danças populares brasileiras, do cinema, entre outros. Esses temas se converteram nas pesquisas apresentadas ao longo deste livro.

Nunca adentrávamos um CMEI com propostas previamente construídas, pois concebemos as crianças como sujeitos de direitos e protagonistas da própria vida. As ações eram pensadas coletivamente, advindas do dia a dia com a pequenada e em conexão com os projetos das professoras regentes.

A escuta cuidadosa e atenta às necessidades e particularidades do contexto se mantinha ao longo de cada vivência dançante:

Quando falamos que não era legal maltratar os animais, surgiram algumas histórias: "Professora, eu tenho um cachorro"; "Minha mãe não gosta de gato…" Se realmente estamos considerando as crianças como seres de direitos que têm conhecimentos, voz ativa e produzem cultura, é importante ouvir as suas narrativas de modo sensível e respeitoso, mesmo que isso possa "atrapalhar" o momento da atividade, pois é nessa hora que realmente o professor se revela um mediador dos conhecimentos, sem desprezar os saberes e as especificidades das crianças. (Diário de campo, 28/8/2018)

Encerrei a massagem pedindo que todos se levantassem devagarinho espreguiçando como um gato e se sentassem; esperei todos se acomodarem e perguntei o que tinham achado da atividade. Disseram que gostaram e, assim como na outra turma, pediram que a atividade da próxima semana fosse sobre o cachorro. Uma menina me perguntou como seria a brincadeira seguinte; se era mesmo sobre o cachorro, eu disse que era segredo e que eles só descobririam dali a alguns dias. Agradeci a participação de todos e saí. (Diário de campo, 28/8/2018)

No momento em que nos reuníamos após as intervenções do dia, refletíamos sobre o ocorrido, sobre as alterações necessárias impulsionadas pela ação direta com as crianças, e refazíamos o planejamento da semana seguinte mediante tais percepções, sempre em diálogo com os textos discutidos no grupo de pesquisa. Na ocasião, não prevíamos abordar o tema do cachorro; contudo, notando a importância dele para as crianças, modificamos a proposta sem nos distanciarmos dos objetivos centrais do projeto. Construíamos os planos das vivências dançantes de maneira aberta e flexível, constantemente revisitando-os e modificando-os durante a reflexão sobre a ação, como propõe Donald Schön (1992).

Essa abordagem coincide com as ideias de Luciana Ostetto (2011) quando afirma que planejar uma ação com meninas e meninos significa mergulhar em uma aventura em direção ao desconhecido, a partir de uma leitura do ambiente, muitas vezes questionando e convivendo com dúvidas para construir a identidade do projeto junto com as crianças e durante o percurso.

Entretanto, há de se mencionar que a nossa cultura adulta traz para o centro da comunicação a palavra, na fala e na escrita, mas as crianças são seres genuinamente linguageiros, carregando entre múltiplas linguagens o saber das próprias vivências. Seus movimentos, modos de olhar, de sorrir, os silêncios, os choros, os balbucios, os desenhos, as pinturas, as sonoridades, as brincadeiras, dentre tantas outras infinitas manifestações das crianças (e nossas), são linguagens que se embolam, se embaraçam, ganham contornos modificáveis, direções movediças e interrompem o tempo cronológico, homogêneo, e a literalidade.

Nesse aspecto, é importante se manter sensível ao que revelam as variadas formas comunicativas infantis – almejando apreender o que cada criança, em sua totalidade e especificidade, quer nos dizer, como diz e o que estamos entendendo –, uma vez que são carregadas de delicadezas, subjetividades, densidades e profundidades que escapam às convenções sociais adultas.

Esse processo nos fez pensar ainda mais na importância de compreender a complexa rede entre o ser criança contextualizada e a cultura que ela produz conjugada com as particularidades do local (bairro, escola, grupo gestor, educadoras) para, então, construir pedagogias da dança que tenham significado e contribuam para a ampliação das experiências de si, dos outros, da arte e dos sentidos. A dança é uma potência que pode favorecer os encontros e os espaços de reelaboração e criação de mundos.

Nesse sentido, friso que, embora o panorama apresentado se refira a apenas uma parcela de crianças goianienses – afinal, outras regiões do mesmo município, sobretudo as de nível socioeconômico diferente, produzirão outras infâncias que implicam outros modos de ser criança –, este capítulo não apenas contribui com pesquisadoras e pesquisadores, docentes, gestoras e gestores, estudantes e interessados em geral residentes nessa região do país, mas assume a responsabilidade de, por meio de um relato de experiência, revelar os caminhos adotados para desenvolver pedagogias que favoreçam a troca de experiências e a construção de conhecimento acerca de práticas educativas em dança que inspirem ações diferenciadas, despertando adaptações e apropriações em função das particularidades de cada local.

Nossa iniciativa se faz relevante para o município pelo fato de que a educação infantil em Goiânia é de estruturação relativamente recente, ocorrida entre as décadas de 1970 e 1980, quando surgem as primeiras instituições públicas no âmbito educacional formal: a Creche Tio Romão e o Centro Infantil Tio Oscar. O fato de Goiânia ter uma educação infantil recente não sugere menor qualidade de atendimento ou preparo e empenho das/os profissionais para lidar com as crianças. Todavia, há muito com que contribuir em termos de produção acadêmica nessa área, em especial com a arte/dança.

Para além da contribuição regional, ressalto a ampliação da produção acadêmica sobre pedagogias, práticas educativas e princípios metodológicos de abordagem da dança com esses seres de pouca idade (Almeida, 2018); no entanto, ainda se faz relevante a expansão e o aprofundamento do tema, dada a demanda de formação docente e ampliação da qualidade da educação brasileira.

A necessidade de referencial bibliográfico nessa linguagem artística fica mais evidente quando percebemos como ainda pegamos emprestados conceitos de outras áreas do conhecimento, realizando transposições, adaptações e reelaborações – um fato que não podemos desmerecer nem menosprezar, uma vez que favorece uma visão/abordagem inter/multi/transdisciplinar representativa da complexidade que se forma na interação entre arte, infância e educação. Porém, há de se ter especial atenção a esse diálogo teórico para não incorrermos em leituras/reflexões superficiais ao parear escritas de autoras e autores com pensamentos e concepções diferentes de mundo e de ser humano.

Nesse viés, a equipe de pesquisadoras do Dançarelando almejou, em reuniões semanais, aprofundar-se nos estudos sociais da infância, especialmente na sociologia, buscando elaborar ações práticas e experimentá-las antes de ofertá-las à escola.

Esperamos, com isso, contribuir para um escopo que destaque a criança como sujeito central em seus contextos específicos para a elaboração de variadas experiências dançantes que fomentem o respeito à dignidade infantil, a aceitação de suas culturas e a liberdade de expressão, estabelecendo condições para o desenvolvimento pleno do potencial dessa gente miúda.

E, assim como as crianças criam seus espaços de exceção para resistir e se fortalecer perante a dominação adulta, os projetos de dança podem privilegiar novas formas de pensar a realidade, a educação e a infância por meio de ações significativas – carregadas de dimensão imaginativa, sensível e criativa – que favoreçam outras formas de performance na sociedade. Isso depende também de uma atuação de professoras e professores de dança que reconheça a importância de conhecer as crianças por elas mesmas, confiando nas qualidades e capacidades infantis de decidir e participar, fugindo do lugar-comum de tentar enxergar o mundo como se fossem crianças que não são (Sarmento, 2005).

2. A DANÇA EM TERRITÓRIO DE GENTE MIÚDA: DIALOGIAS COM AS MÚLTIPLAS LINGUAGENS INFANTIS[1]

Fernanda de Souza Almeida

INFÂNCIAS E MÚLTIPLAS LINGUAGENS

> *A criança é feita de cem*
> *Cem mundos para descobrir*
> *Cem mundos para inventar*
> *Cem mundos para sonhar*
> *A criança tem cem linguagens*
> *Mas roubaram-lhe noventa e nove*
> *A escola e a cultura lhe separam a cabeça do corpo*

A epígrafe acima é um trecho do poema "De jeito nenhum. As cem estão lá", do pedagogo italiano Loris Malaguzzi (*apud* Edwards, Gandini e Forman, 2015), promotor de uma nova concepção de escola da infância, sistematizada há mais de 30 anos na cidade de Reggio Emilia, ao norte da Itália. Segundo Ana Lúcia de Faria (2007), esse educador inaugurou uma abordagem de ensino inovadora e criativa, capaz de valorizar o patrimônio de potencialidades e recursos comunicacionais infantis, na qual todas as atividades pedagógicas se desenvolvem por meio de projetos.

Entretanto, esses projetos não podem ser planejados antecipadamente por docentes; precisam provir da escuta dos interesses e necessidades das crianças, pois evoluem por meio da exploração das diferentes linguagens.

Trata-se de uma concepção de criança inventiva, imaginativa e exploradora incansável dos diferentes campos de experiências, portadora de história e de cultura, protagonista e sujeita de direitos – uma criança de corpo inteiro (Prado, 2015), cujas ideias são respeitadas. Por isso, tal educação acredita nas sensibilidades e inteligências criativas da meninada ao compreender o mundo (Faria, 2015), privilegiando a presença das mais variadas linguagens, de maneira equilibrada, no cotidiano educacional infantil.

É uma aventura educativa que tece conhecimentos durante as experimentações de desenho, maquete, pintura, escultura, mídias, música, dança, dramatização, fotografia, filmagem, jogo e movimento (Edwards, Gandini e Forman, 2015), sem incentivos precoces nem ênfase no ler, escrever e contar; uma prática pedagógica que aceita que o ser humano, especialmente na infância, tem infinitas formas de manifestação, e que cada linguagem traz diferentes simbologias.

Ao investir nisso com variedade, as crianças terão maior possibilidade de potencializar sua capacidade de simbolismo, comunicação, criatividade, interpretação e interação com o mundo. Desse modo, favorecer o contato com paisagens, tanto denotativas como conotativas, amplia as perspectivas de descoberta e invenção da rica e complexa teia do saber, criando oportunidades para a construção das múltiplas relações que envolvem o aprender.

Nesse contexto, a arte deveria ter papel central na rotina de uma instituição de educação infantil – não de maneira utilitária, mas sensível, integrada, plural, expressiva e inovadora.

E, imbuído de tais argumentos, germinou o projeto de extensão e cultura Dançarelando, alinhamento entre ensino, pesquisa e extensão que possibilitou que estudantes da graduação conhecessem as demandas reais do mundo do trabalho de maneira orientada e supervisionada, além de, no caso específico desse projeto, terem a oportunidade de percorrer o campo florido da gestualidade lúdica infantil, lidando com os desafios e imprevistos que surgem no caminho, (re)conhecendo as peculiaridades dessa fase da vida.

No ano de 2016, a equipe proponente foi composta pela autora deste capítulo e pelas bolsistas Letícia Fonseca, Patrícia Silva e Yone Milet, mediando intervenções dançantes no Departamento de

Educação Infantil da Universidade Federal de Goiás (UFG) uma vez por semana, durante 45 minutos, com 30 crianças entre 12 meses e 4 anos de idade, além de dez profissionais, entre docentes e auxiliares da jornada educativa. Foi uma experiência multietária que buscou não só promover a interação e a troca de saberes, como também diluir as fronteiras entre as linguagens sem perder as especificidades da dança.

Dessa forma, o presente texto revela como as ações interartísticas se desenvolveram a partir das vivências em dança, apontando as percepções da equipe sobre tal proposição, registradas em diários de campo – uma pesquisa-ação que buscou, como um dos princípios metodológicos, o diálogo entre dança, poesia, literatura infantil, contação de histórias, representação e desenho, valorizando as diferentes maneiras pelas quais meninas e meninos se expressam.

Ao longo do percurso, realizou-se um cuidadoso e detalhado registro fotográfico e em vídeo, a fim de potencializar as reflexões em diário de campo e as atuações docentes de maneira mais consciente e assertiva. Todavia, tal material não foi analisado para fins de pesquisa, sendo utilizado aqui para evocar uma experiência mais presente.

Segundo Marli de André (1995), a pesquisa-ação, na educação, busca um olhar submerso no tema de investigação, a partir das/os pesquisadoras/es e participantes, visando alcançar novas/outras possibilidades de abordar as áreas do conhecimento na escola de maneira mais apropriada para determinados grupos. Entretanto, pelas limitações textuais, optou-se por registrar apenas a descrição da experiência, o plano de ação e trechos da reflexão sobre a prática educativa – transformadora – da equipe proponente do Dançarelando, não apresentando o ciclo completo da pesquisa-ação.

Nesse contexto, este escrito almeja contribuir para uma formação docente que repense a fragmentação dos vários campos do conhecimento e a escolarização precoce infantil e elimine as dicotomias tão recorrentes nas instituições formais que atendem às crianças pequenas – escolas que, parafraseando o poema de Loris Malaguzzi (*apud* Edwards, Gandini e Forman, 2015, p. 15), insistem em dizer a ela de pensar sem as mãos/ de fazer sem a cabeça/ de escutar e não falar/ de compreender sem alegria, de amar e maravilhar-se/ só na Páscoa e no Natal. Dizem à criança:/ de descobrir o mundo que já existe [...]/ que o jogo e o trabalho,/ a realidade e a fantasia,/ a ciência e a imaginação,/ o céu e a terra,/ a razão e o sonho/ são coisas que não estão juntas./ E assim dizem à criança/ que as cem não existem./ A criança diz:/ de jeito nenhum. As cem existem.

Nesse sentido, ao escutar as crianças em suas diversas manifestações, o/a professor/a pode encontrar "com elas" os campos de experiência a ser explorados nos projetos pedagógicos, reconhecendo as instituições educativas como lugares de vida e não de transmissão de saberes da/o adulta/o para a criança. E a arte pode ocupar lugar central nesse processo se o profissional não postular, de acordo com Tizuko Kishimoto, "a descontinuidade entre os conhecimentos aceitos como 'científicos' e os provenientes das artes e da literatura" (2008, p. 8).

Segundo essa autora, tal perspectiva reivindica a visão da criança como cientista-artista, que circula por diferentes mundos, investiga, descobre, vive experiências variadas, com um corpo que dança, representa, sente, brinca, traceja e é: é ela própria. Mas, para isso, é necessária a presença de adultos/as imaginativos/as e interessados/as, que reconheçam a infinidade de potencialidades e formas de conhecer o entorno pelas crianças – docentes que convidem, continuamente, essa gente miúda a duvidar, experimentar, explorar materiais, sons, movimentos, ideias e possibilidades, sem expectativas de respostas únicas ou determinados caminhos a percorrer para atingir o *produto final* previsto por essa gente grande.

Ademais, Altino Martins Filho e Patrícia Prado (2011) apontam a escassez de pesquisas voltadas para o campo estético, o imaginário e a arte com esses seres de pouca idade a partir de uma concepção mais atual de criança. Com isso, é primordial repensar as propostas com a infância, envolvendo as experiências com arte e movimento. O projeto Dançarelando, além das pesquisas vinculadas a ele, objetivou colaborar com tais aspirações.

DANÇA: DESENHANDO PALAVRAS PELO ESPAÇO

A credibilidade dada à expressão da criança e a abertura a uma escuta sensível nos fizeram iniciar o projeto com uma proposta que não foi planejada previamente pela equipe proponente, mas surgiu de um período de um mês de observações da rotina das crianças e identificação das suas curiosidades e necessidades.

Com isso, o projeto foi acompanhado pela imagem do jardim com seus insetos (borboleta, lagarta, caracol, formiga); flores (espécies, partes, crescimento, aromas) e natureza (vento, nuvem, árvore, estações do ano). Esse fato, somado à defesa do faz de conta, imaginação e fantasia, impulsionou uma estreia inspirada no poema "As borboletas", de Vinicius de Moraes, uma vez que integrava o projeto pedagógico da instituição e inauguraria um evento intitulado "Pi-poesia", que aconteceria dias depois da primeira intervenção em dança.

Assim, apresentamos oficialmente o Dançarelando e a equipe proponente às crianças, cantando e dançando o poema que havia sido musicado por uma das docentes da instituição; cada uma de nós representou uma cor de borboleta, improvisando a partir do peso leve e das ações de flutuar, abrir e fechar (Almeida, 2016).

Dançando e cantando "As borboletas", de Vinícius de Moraes

Após a apreciação estética, conversamos com as crianças sobre suas percepções e as convidamos a dançar flutuando, abrindo e fechando, brincando na luz e pousando suas borboletas de papel em diferentes partes do corpo. Esse material foi preparado em um momento que antecedeu o início do projeto, quando sugerimos que colorissem, com tinta guache e esponja, uma folha em branco, motivadas pelas cores brancas, azuis, amarelas e pretas citadas no poema. Depois que o papel secou, nós o recortamos em formato de borboleta.

As borboletas recortadas

A esse respeito, frisamos que os poemas são embebidos de sonoridade, ritmo, sensibilidade, metáfora e sentimento. Muitas vezes, fogem do cotidiano extraescolar da criança e são apresentados pela equipe docente. Dessa forma, é importante despertar o encantamento por esse gênero literário. Em especial, conforme Regina Zilberman (2005), os poemas escritos para crianças buscam uma conexão entre o brincar e o escrever, valorizando o aspecto lúdico da linguagem.

Aproveitando essa potência simbólica e mágica, o Dançarelando proporcionou à criançada experimentar a poesia e a musicalização no próprio corpo, por meio da dança. Notamos um grande envolvimento da maioria delas, principalmente com a borboleta de papel, que lhes possibilitou experimentar o movimento do material saltando, girando e brincando com a velocidade do gesto. A ação foi tão satisfatória, adorável e sensível que dialogamos com esse gênero literário, de maneiras diferentes, mais duas vezes ao longo do processo.

Desse modo, quatro meses depois, utilizamos o poema "A canção da flor de pimenta", de Cecília Meireles, para contextualizar os aromas e texturas da natureza. Nesse encontro, as crianças massagearam o corpo com grãos de milho, soja e feijão, bem como com flor de algodão e óleo de lírio. Também sentiram o perfume do café, da lavanda e de diferentes pimentas, em uma rica experiência de sensações olfativas e táteis para um conhecimento mais aguçado do corpo. Nesse dia, objetivamos provocar o sistema sensorial das crianças, buscando uma percepção mais refinada dos sentidos e favorecendo, assim, um despertar para os saberes do corpo e de si mesmas (Duarte Junior, 2004).

O aguçamento da sensorialidade aponta para a expansão da estesia, que, segundo Ana Mae Barbosa (2008), é a capacidade de perceber o mundo por meio das sensações, da escuta e do olhar sensível: "[...] em seu poder de perturbar nossos sentidos, nos torna capazes de uma percepção mais íntima e intensa da realidade, nos fazendo prestar atenção aos detalhes que nos cercam, aproximando-nos daquilo que aparece nas entrelinhas do vivido" (p. 58). A ênfase na dimensão sensorial, em diálogo com as experiências artísticas, pode cultivar uma relação mais sensível com o mundo, com as pessoas e com as coisas, despertando olhares plurais para além do utilitário (Duarte Junior, 2012).

Destacamos uma parte dessa vivência, na qual levamos algodões perfumados suavemente com essência de lavanda. Passei o algodão por meus braços, pernas e barriga, enquanto Letícia lia o poema. Na sequência, entregamos um para cada criança pedindo apenas que sentissem o cheiro, e ficamos em silêncio, dando um tempo para que interagissem com o material. Observamos um bebê passando o algodão pelo rosto, se fazendo um carinho. Contudo, o que mais nos chamou a atenção foi outro bebê passando-o nos braços de outra criança de maneira cuidadosa e afetuosa.

Sob essa inspiração, pode-se incentivar a meninada a uma experiência sensível-estética que se utiliza das percepções sensoriais com seus significados refletidos, conhecidos, atribuídos, relacionados e transformados em dança.

No mês subsequente, o poema "Leveza", também de Cecília Meireles, serviu de estímulo para a vivência do peso leve, conduzido pela imagem de pássaros. Apresentamos esse elemento da dança (Almeida, 2016) às crianças, conversamos sobre o que identificavam de leve na natureza e questionamos como poderíamos transpor essa qualidade de movimento para o corpo que dança. Com base nos comentários, mostramos vídeos com diferentes formas de dança que utilizam tal expressividade e assopramos bolhas de sabão, como um elemento concreto e palpável, para facilitar a compreensão do conceito. As crianças ficaram extasiadas querendo estourar as bolhas. Após muita diversão, sugerimos iniciar as experimentações corporais.

Solicitamos que se deitassem e ouvissem o poema. Na sequência, ao som de músicas com cantos de pássaros, simultaneamente à recitação repetida dos versos, propusemos que dançassem em peso leve, instigadas pelos vídeos, pelos elementos da natureza mencionados e pelo movimento das bolhas de sabão.

Durante o processo, percebemos que o poema tinha um grau complexo de simbolismo para o grupo etário, e as crianças demoraram para compreendê-lo; por isso, decidimos continuar repetindo-o pausadamente enquanto dançavam. Contudo, concluímos que, se confiarmos nas capacidades e habilidades infantis, não podemos limitá-las de experiências mais desafiantes; com equilíbrio e respeito às peculiaridades da infância, podemos propiciar que se surpreendam diante do novo e ajudá-las a saborear, suavemente, belas e abstratas palavras que jogam com a linguagem.

Ademais, a experiência estética em arte pertence ao lugar de um saber sensível, com sua maneira própria e peculiar de significação do entorno. Ela nos leva a outras percepções que tangem a sociedade de forma poética, mitológica, simbólica, metafórica e contemplativa. São formas diversas de degustação do mundo, aliadas à construção de sentido da vida, que se distanciam da racionalização, da produtividade, do consumo e das reflexões lógico-conceituais (Duarte Junior,

2004). Nesse sentido, não poderíamos nos limitar a oferecer poemas que as crianças "compreendessem": seu jogo estava exatamente no espanto e no inusitado.

Embasadas nesse pensamento, concordamos com Patricia Cardona (2012): em arte/dança, é importante que tal cadeia complexa de estimular os sentidos, experimentar sensações, vivenciar sentimentos de agrado e desagrado e acessar algumas emoções provocadas por tais propostas sensoriais não se limitem a isso. É necessário que catalisem imaginários e se convertam em semente para o processo criativo, em um exercício poético de transversão e composição artística.

Além do trabalho com a poesia, investimos na contação de histórias como outra possibilidade de integrar diferentes áreas do conhecimento atravessadas pela arte. Essa estratégia iniciou-se no segundo encontro do projeto e foi intensamente explorada pela impulsão em direção ao faz de conta, ao encantamento e à imersão na experiência.

Essas características foram apontadas na pesquisa de Fernanda Almeida (2016), que, ao usar o lúdico como um dos princípios metodológicos para oferecer a dança à garotada, notou que o faz de conta ocupou um lugar especial em seu projeto, revelando o prazer que o mundo mágico da imaginação pode proporcionar às/aos pequenas/os.

Nesse sentido, Tizuko Kishimoto (2008) nos recorda que o faz de conta é uma atividade essencial ao universo infantil, uma forma particular de expressão, pensamento, interação e comunicação que permite às crianças descobrir-se e apreender o entorno, incentiva a interação entre os pares e a resolução de conflitos e estimula a ampliação do potencial criativo. Além disso, ao brincar, as crianças aprendem a (res)significar os signos sociais, o que contribui para o processo de apropriação simbólica e construção da linguagem (*ibidem*).

A investigação de Fernanda Almeida (2016) apontou que, caso houvesse a oportunidade de elaborar um novo projeto de dança com essa gente miúda, o trabalho com os jogos populares infantis deveria ser mantido; entretanto, a imaginação e as narrativas poderiam ser mais enfatizadas. Por esse motivo, a contação de histórias foi evidenciada no Dançarelando.

A primeira experiência com a contação de histórias aconteceu por meio da narrativa *A primavera da lagarta*, de Ruth Rocha, no intuito de continuar o tema das borboletas despertado pelo poema de Vinícius de Moraes. Como a história apresenta diversos insetos como personagens, usamos os encontros subsequentes para experimentar as possibilidades de movimento que cada animal poderia despertar.

Com a lagarta, rastejamos e deslizamos; com o caracol, enrolamos e desenrolamos – sempre instigando a descoberta e a combinação das ações corporais para incluí-las em suas danças. Nesse sentido, partimos da literatura infantil para motivar e (res)significar as proposições em dança, além das discussões sobre a metamorfose da borboleta e identidade/diferença, uma vez que no conto a lagarta é chamada de feia pelos demais insetos.

Contação da história *A primavera da lagarta*, de Ruth Rocha

A finalização da exploração de cada personagem e das partes da história de maneira dançada aconteceu concomitante ao encerramento do semestre letivo. E, para retornarmos, a bolsista Letícia compôs a história *O recreio dos animais*. Nela, todos os insetos anteriormente trabalhados reapareciam, mas dessa vez realizando ações com diversas partes do corpo e de maneira variada:

O Caracol Jr., filho do sr. Caracol Cascudo, era muito divertido. Mas tinha um problema: bastava discordar das regras da brincadeira que já emburrava todo; se enrolava no seu casco e não saía por nada! Pois uma hora ele enrolava e desenrolava só a cabeça, depois as pernas, os braços; enrolava e desenrolava o corpo inteiro. Não adiantava pedir, implorar, nada! Nem pedindo desculpas ele se desenrolava. (Diário de campo, 23/8/2016)

Durante a contação, as crianças imitaram os animais e realizaram os movimentos simultaneamente; ao final, depois de conversarmos sobre suas percepções, sugerimos que todos dançassem utilizando as ações citadas. Essa estratégia, além de favorecer a ampliação do acervo gestual das crianças, proporcionou o reconhecimento de alguns movimentos que poderiam compor as improvisações e o acesso a uma possibilidade de combinação das ações corporais em formato de dança (Almeida, 2016), retomando o processo vivenciado na primeira fase do projeto.

Cinco encontros adiante, Letícia escreveu uma nova história, chamada *Criança-flor*. Esta foi contada e, ao mesmo tempo, a graduanda-bolsista Yone dançava. Era a transformação de uma semente-bebê em árvore adulta, associando as partes da planta com as partes do corpo das crianças, que balançavam, espiralavam e giravam.

Tratou-se de um momento de apreciação estética no qual a meninada observou como as palavras podem ser hibridizadas com dança de maneira criativa e artística. Tal proposta contribuiu para que todas/os compreendessem a dança como uma linguagem artística que comunica, de maneira poética, algo por meio do corpo e do movimento.

Nesse encontro, mostramos, em vídeo, o desabrochar de uma flor projetado na parede, a fim de oferecer mais elementos para a pesquisa corporal e construir pontes mais concretas com o entorno. Sobre isso, uma das bolsistas relatou:

[...] nunca imaginei que as crianças fossem gostar tanto, acredito que até hoje nunca tinha visto elas tão concentradas. Durante todo o vídeo, elas mal piscavam os olhos e exclamavam uau, nossa, olha! Quando acabou, elas pediram para repetir. (Diário de campo, 16/9/2016)

Assistindo ao vídeo do desabrochar de uma flor

Foi assim que a curiosidade encontrou uma porta aberta para o jardim. Com isso, aproveitando os comentários das crianças, citamos artistas que haviam pintado flores e seus jardins. Destacamos algumas obras de Claude Monet, contextualizando o artista, onde viveu e, brevemente, o estilo utilizado para produzir seus quadros.

Finalizado esse momento de conversa, contamos que nosso jardim (imaginário) havia crescido, porém, estava sem cor. Pedimos às crianças que nos ajudassem a colori-lo, e entregamos a cada uma delas uma fita de cetim com 1 metro de comprimento presa em um palito de *hashi*, simulando um pincel. Então, elas ficaram livres para dançar experimentando as fitas como se pintassem um grande quadro, que poderia estar por todos os lados e nos níveis alto, médio e baixo. Todavia, deveriam utilizar, dentre outros movimentos, as ações corporais de balançar, espiralar e girar. Um encontro inundado da arte como um todo!

Em ambas as situações, as crianças foram convidadas a imitar os animais e os elementos da natureza, como um trampolim para a representação.

A representação é a capacidade de elaborar imagens e ideias para representar as coisas, pois supõe estabelecer diferenças entre objetos, pessoas, situações e contextos. Assim, incentivávamos a incorporação dos personagens e a reelaboração dos gestos e das dramatizações para dilatar as possibilidades expressivas do corpo. Nesse processo, o modelo não era utilizado como padrão estereotipado, no qual as crianças deveriam rastejar como lagartas, apenas para frente, com o corpo todo no chão e em decúbito ventral; elas experimentavam outras possibilidades de rastejar de maneira criativa e ressignificavam seus movimentos, incorporando as ações corporais em suas danças.

Sobre esse aspecto, Aline Bonamin (2007, p. 106) afirma:

> Muitas vezes existe a dúvida sobre o modo de introduzir alguns conceitos técnicos à aula, como [...] os nomes das partes da estrutura óssea para crianças, achando que elas não vão assimilar o conceito com o próprio corpo. Uma possível aplicação didática para dar conta dessa abordagem somática é trazer imagens concretas da natureza e associá-las ao movimento do corpo. Assim, a criança poderá criar relações entre imagem e movimento, recorrendo ao seu mundo imagético, construído pelas coisas que vê, percebe e sente. Os bichos são excelentes exemplos para proporcionar diferentes organizações do movimento ou para associar partes específicas da estrutura esquelética.

Nossa experiência no Dançarelando é consoante com tais percepções. De fato, notamos o encantamento e a atração das crianças pelos elementos da natureza, não só nesse projeto como na pesquisa de Fernanda Almeida (2016). É nítido o prazer e a alegria com que se envolvem com esse tema e como ele pode favorecer a abordagem da dança.

Já a história *Bom dia, todas as cores*, de Ruth Rocha, seguiu um caminho diferente: não passou pela leitura da equipe propositora, mas foi ouvida em um áudio do grupo Palavra Cantada. Nesse encontro, sugerimos que as crianças desenhassem livremente suas percepções acerca da história. A ideia era priorizar a criatividade, tendo como estímulo o áudio. Algumas desenharam o camaleão, outras pintaram as cores citadas, representaram o sol ou animais do conto.

Desenhando a história *Bom dia, todas as cores*, de Ruth Rocha

Debatemos sobre mudar de opinião para agradar às demais pessoas, como acontece na história, e também sobre as variadas cores e tonalidades de pele dos seres humanos e sua relação com o acolhimento à diferença. Em seguida, sugerimos que caminhassem pelo espaço observando os desenhos umas das outras e retornassem ao seu. Propusemos um grande desafio: imaginar que o giz de cera fosse o corpo e que dançássem realizando a trajetória do desenho – a proposta era que acontecesse um desenho-dança com foco nos rabiscos, no traço, nos desenhos e afins.

Traçejando com o corpo no espaço

Essa foi mais uma ação que buscou não fragmentar a arte, integrando literatura infantil, contação de histórias, desenho e dança – uma vivência relevante e sensível, mas bem abstrata e recheada de simbolismo.

Notamos que as crianças de 1 e 2 anos não se envolveram tanto; algumas permaneceram desenhando e outras ficaram assistindo. Contudo, apesar da "pouca" participação desses mais novos (isso nas expectativas adultas), refletimos sobre a importância do contato com tais experiências. Estar lá e observar contribui para a ampliação do universo cultural e desperta uma sensibilidade capaz de captar a beleza do entorno – que talvez só seja revelada anos mais tarde. Além disso, apostamos na capacidade de interação dessa pequenada.

A esse respeito, é possível notar, na imagem anterior, uma criança olhando atentamente a exploração de sua colega com a professora, um momento de contemplação inundado do olhar para a outra. Segundo Niulza Matthes (2010, p. 135), "a apreciação estética contempla o olhar que compreende e incorpora a diversidade de expressões e que reconhece as individualidades. Essa fruição enriquece a criatividade e a imaginação".

Nesse sentido, tais momentos são valiosos e, por essa razão, não obrigávamos as crianças a dançar a vivência toda. A observação em arte também é uma maneira significativa de participação, além de respeitar os desejos e necessidades infantis. Entretanto, destacamos que nos mantínhamos atentas, incentivando a todas e procurando individualizar cada caso.

Ademais, a apreciação estética, bem como a integração das linguagens, propicia a educação dos sentidos, favorecendo a ampliação e o refinamento da percepção sobre si, a/o outra/o e a sociedade, despertando um novo olhar para a realidade.

UMA TRAMA QUE AO DANÇAR SE ENTREMEIA MAIS

Com base nas experiências apresentadas ao longo do texto, é possível destacar as diversas possibilidades de integração entre dança e palavra por meio de diferentes gêneros literários. Essa trama de símbolos pode potencializar interesses e hábitos de leitura, uma vez que, além de as crianças ouvirem as histórias, mostrávamos os livros, contávamos sobre as escritoras/poetas, e o alunado materializava suas ideias no próprio corpo, desenhava e pintava os trechos marcantes.

Nas vivências, as meninas e os meninos tiveram oportunidade de comentar, perguntar e relacionar os versos, textos e imagens com a própria vida, transitando entre o real e o fictício, o que propiciou a criação de mundos novos e a expansão da capacidade de sentir. Foi um processo tanto criativo quanto reprodutivo, que incentivou um percurso sensível pelo campo das percepções, dos sentidos, do imaginário, da fecundidade onírica e das formas expressivas de ações e gestos corporais (Vilela, 2014), transformando a si, as coisas e o entorno sem perder de vista quem/o que realmente são. Esse é um princípio lógico essencial à arte e às linguagens poéticas, nas quais a subversão da identidade e das temporalidades é constitutiva dos processos de significação (Sarmento, 2005).

Buscamos, em especial, contribuir com a habilidade de ouvir, uma experiência quase tão cotidiana quanto a arte de narrar, que está em vias de extinção (Benjamim, 1994). Uma vez que a atualidade nos cerca de velocidade, produção, opinião e informação, o ser humano de hoje não cultiva o que não pode ser abreviado.

Nesse sentido, partimos do corpo como lócus de saber atravessado por múltiplas linguagens, entre elas a dança. Trazíamos um ouvir para decantar no corpo; um corpo que dança. Isabel Marques (2015) aponta que corpos que dançam de maneira criativa, lúdica, relacional e autoral poderão constituir redes de relações sociais mais belas, justas e éticas. O Dançarelando procurou seguir por esse caminho: o do encontro com a/o outra/o, com a diversidade, com o plural e com a própria dança para a promoção de autonomia, identidade e respeito.

A experiência como um todo possibilitou observar as crianças percebendo o corpo, aguçando os sentidos, descobrindo movimentos, interagindo com colegas, conhecendo culturas e criando danças. Além disso, a equipe se convidou e foi convidada a experimentar ideias, procurar intersecções, brincar com a imaginação e se reinventar a cada encontro, graças aos comentários e questionamentos da garotada durante as vivências. A ação foi tão significativa que despertou o interesse da bolsista Letícia em se aprofundar no encontro interartístico Dança e Contação de História, em sua pesquisa apresentada no Capítulo 7 deste livro.

3. DANÇAR E BRINCAR: UMA EXPERIÊNCIA DE BALÉ COM CRIANÇAS PEQUENAS[1]

Taynara Ferreira Silva
Fernanda de Souza Almeida
Nilva Pessoa de Souza

O BALÉ E A CRIANÇA: ENCONTROS POSSÍVEIS?

O balé é uma manifestação artística que utiliza movimentos predominantemente suaves, expressando a leveza dos corpos. Essa estética de dança busca uma postura e uma organização corporais que remetem à elegância das cortes europeias, uma vez que surge dos cerimoniais e dos divertimentos da aristocracia, representando a riqueza e o poder da sociedade da época (Faro, 2011). Sua comunicação se estabelece, frequentemente, por meio de movimentos codificados, entre eles o *plié*[2], o *tendu*[3] e o *elevé*[4], que são desenvolvidos em aulas e podem ser conectados na forma de coreografias.

Nesse contexto, o balé clássico, como explica Raniele da Silva (2013), durante muitos anos valorizou bailarinas e bailarinos solistas e o centro da cena como o lugar de destaque a ser ocupado, objetivando um corpo ideal, com capacidades físicas específicas, para uma expressividade em um único modelo geométrico, no qual as regras se definiriam pela exatidão e pela precisão de movimentos.

Ao longo do tempo, o balé passou por revitalizações e inovações em seus figurinos, passos, escolas, metodologias de ensino, construção dramática da cena e elaboração de novos conceitos, impulsionadas pelas mudanças sociais, históricas, políticas e econômicas de cada época. Na contemporaneidade, o balé tem se reinventado, dialogando com a educação somática e oferecendo vivências que enfatizam a consciência de si, o cuidado com o posicionamento das articulações, a organização do espaço e um respeito aos diferentes corpos. A esse propósito, a educação somática tem ocupado papel importante para repensar a dança e seu ensino, pois apresenta outras maneiras de pensar o corpo que se distanciam daquelas que enfatizam o virtuosismo, presentes com frequência na sala de aula de dança, sobretudo na de balé.

Entretanto, é possível encontrar um número expressivo de locais que mantêm uma estrutura tradicional e rígida das aulas, especialmente nos projetos de contraturno de escolas de educação básica e nas etapas de iniciação à dança em algumas academias. Nesse contexto, percebe-se uma lacuna existente no ingresso das crianças no balé – na conhecida *baby class* –, pois, muitas vezes, provoca uma perda de interesse e prazer pela dança, na medida em que expõe as crianças a uma cobrança excessiva de compromisso, padronização, disciplina do corpo e a sentimentos ambíguos de inclusão e exclusão (Feltes e Pinto, 2015).

Desse modo, para que o balé se aproxime das especificidades da infância, é importante uma abordagem que possibilite a expressão das diferentes identidades, evitando proposições nas quais meninas e meninos sempre se movimentem igualmente, ao mesmo tempo e dentro de um molde normatizado e muito detalhado de posições corretas de mãos, braços e pés.

Segundo Fernanda Almeida (2016, p. 35), a dança com a pequenada "necessita estimular a descoberta e não a padronização; a improvisação e não a repetição de movimentos previamente determinados" pelas pessoas o tempo todo. O passo é inerente ao balé, mas também é interessante que as crianças tenham a possibilidade de escolher seus movimentos, materiais e espaços na sala para descobrir suas preferências e, sobretudo, a sua dança, respeitando as individualidades e deixando de lado a intensa reprodução de ações.

Corroborando as ideias de Eliana Caminada e Vera Aragão (2006), não podemos negar os conhecimentos construídos historicamente "pelos muitos estudiosos que se debruçaram para desenvolver aquilo que hoje conhecemos como balé; contudo, na posição de educadores precisamos deixar de olhar para esse conjunto de técnicas sistematizadas como algo pronto e acabado" (p. 13) e prosseguir, continuar repensando essa prática, principalmente as metodologias de abordagem com as crianças menores.

Nesse sentido, uma forma interessante de promover o contato da criançada com alguns fundamentos do balé é usar os princípios lúdicos, como destacaram Raniele da Silva (2013), Ana Carolina Freitas (2012), Alessandra Feltes e Aline Pinto (2015), Mizraim de Almeida e Marineide Campos (s/d) e Augusta Nabinger (2016), no envolvimento com a musicalidade, a criatividade, a imaginação, a expressividade, a sensibilidade, o encontro com a/o outra/o e, principalmente, a descontração.

Dessa forma, questionamos uma possibilidade de abordar o balé com crianças entre 4 e 5 anos de idade, matriculadas em uma academia de ginástica na cidade de Inhumas (GO), por meio do lúdico. Com isso, objetivamos investigar, elaborar um curso e oportunizar a vivência de uma proposta de dança infantil que utilizasse jogos, brinquedos cantados e brincadeiras como caminho metodológico de ação.

Este estudo fez-se relevante, na ocasião, para a formação docente da pesquisadora Taynara, uma vez que foi possível experimentar novas vivências e estratégias para suas aulas, abrindo diversos caminhos para oferecer o balé às crianças com o intuito de ir ao encontro das peculiaridades dessa etapa da vida. Esta investigação deu às suas propostas dançantes mais qualidade no que tange ao prazer e à motivação da meninada participante, trazendo à pesquisadora uma identidade profissional que antes era vaga.

Desse modo, este estudo pode colaborar para a formação de demais professoras, iniciantes ou experientes na área de dança, pois, ao revelar uma possibilidade metodológica, visa inspirar e despertar o interesse por outros caminhos para abordar o balé na infância de maneira mais sensível e próxima dessa fase da vida. Isso porque muitas docentes reproduzem nas aulas as suas vivências como bailarinas, utilizando meios tradicionais de ensino, esquecendo-se da subjetividade da criança, de seus interesses e curiosidades (Silva, 2013).

Para acrescentar, Augusta Nabinger (2016, p. 15) aponta que "o professor precisa preocupar-se com o modo pelo qual a criança aprende, muito mais do que [com] como ele vai ensinar, buscando meios para tornar eficiente e atraente a relação ensino-aprendizagem". Foi esse caminho que esta pesquisa seguiu ao se preocupar com uma das características centrais da infância – o lúdico – para pensar as práticas em dança.

Nesse sentido, é relevante destacar a importância de as pesquisadoras estudarem a prática, desvendando o cotidiano em seu contexto real, dando maior visibilidade aos diversos modelos metodológicos e transpondo as paredes da universidade.

FAVORECENDO O ENCONTRO: CAMINHOS METODOLÓGICOS

Para responder à problemática, partiu-se de uma abordagem qualitativa, com caráter de pesquisa-ação (Thiollent, 1986), buscando um olhar de dentro do problema – olhar esse vindo da ótica da professora para a própria prática educativa, de maneira reflexiva, crítica e transformadora, ao explorar novas possibilidades de ensino que fossem mais interessantes para determinado grupo.

Com isso, a pesquisa foi levada para o local de trabalho da Taynara, direcionada a uma turma de balé que contava com 12 crianças entre 4 e 5 anos de idade, cujas aulas eram ofertadas duas vezes por semana e tinham 45 minutos de duração cada uma; foram realizadas, ao todo, 15 intervenções.

Segundo Marli de André (1995, p. 33) "a pesquisa-ação envolve sempre um plano de ação, plano esse que se baseia em objetivos, em um processo de acompanhamento e controle da ação planejada e no relato concomitante desse processo". Com isso, elaboramos um plano com o objetivo de ampliar a conscientização a respeito do corpo das crianças e promover a coordenação do movimento, o equilíbrio e o ensino de alguns passos iniciantes do balé, como *plié*, *sauté*[5], *passé*[6], *echappé*[7] e *glissé*[8], tendo o lúdico como estratégia central. Partindo desses pressupostos, para cada intervenção foi elaborado um plano de aula, seguido da construção do diário de campo.

Os dados foram produzidos com base no registro em caderno de campo, cujo objetivo era retratar as ações, as tomadas de decisão e as reflexões da pesquisadora, evidenciado os principais apontamentos acerca da mudança de atitude das crianças no decorrer das vivências (Flick, 2009). Durante o processo, houve uma intensa interlocução com autoras e autores que pudessem oferecer elementos para discutir os aspectos observados.

QUANDO A DANÇA DEPARA COM O LÚDICO

Para Cipriano Luckesi (2005), uma atividade lúdica é aquela que propicia a plenitude da experiência, buscando uma entrega total: mental, emocional e física; trata-se de um momento de imersão, de mergulho na vivência; vai além do sentido mais simplista do senso comum sobre o riso e a diversão. Desse modo, o lúdico pode ser concebido como uma ação de muita seriedade para a criança, que muitas vezes é *possuída* por um impulso criador e uma inspiração livre e vigorosa.

Nesse sentido, o lúdico é particular e individual; o que é prazeroso e gera envolvimento para uma pessoa pode não ser o que motiva a outra. Logo, pensar uma intervenção que dialogue com o lúdico é, antes de mais nada, olhar sensivelmente para o grupo e (re)pensar constantemente as proposições, diversificando-as.

Em relação à dança, Fernanda Almeida (2016) comenta que o acolhimento do lúdico como estratégia para mediar a dança com a meninada demonstra-se viável devido ao seu caráter dinâmico, criativo e atraente. Dessa forma, utilizar elementos do lúdico – como jogos, brincadeiras e brinquedos cantados – em aulas de balé é essencial para as crianças, pois favorece que elas se expressem, exerçam autonomia e interajam com as demais pessoas envolvidas no processo educativo.

A brincadeira e o jogo possibilitam várias oportunidades para que a garotada crie e imagine situações do seu cotidiano, permitindo que elas participem da elaboração, desenvolvimento e recriação da atividade, bem como da dança.

Definir jogo e brincadeira não é tarefa fácil, como explica Tizuko Kishimoto (2007), pois essas palavras podem apresentar diversos aspectos conceituais. Nilva de Souza (2011) revela que a brincadeira é uma atividade livre e espontânea, que não pode ser delimitada; não conta com tempo nem espaço predeterminados, tendo um fim em si mesma. Já o jogo, na concepção de Johan Huizinga (2000), é produzido pelo meio social e envolve o prazer, o caráter *não sério*, a liberdade, a separação dos fenômenos do cotidiano, as regras, o caráter fictício ou representativo e sua limitação no tempo e no espaço.

Ao tratar das relações entre o jogo e as artes, Huizinga (*ibidem*) deixa clara a ligação direta entre ambos por meio da ação interpretativa, do seu caráter físico ligado à performance e ao gestual e do "voo pelos espaços de que a música e a poesia são capazes" (p. 120). O autor ainda complementa:

> [...] quanto a este aspecto a situação da dança é muito especial, pois é ao mesmo tempo musical e plástica: musical porque seus elementos principais são o ritmo e o movimento, e plástica porque está inevitavelmente ligada à matéria. [...] A dança é uma criação plástica como a escultura, mas apenas por um momento. Tem em comum com a música, que a acompanha e que é sua condição necessária, o fato de depender de sua capacidade de repetição. (*ibidem*)

Para ele, "a dança é uma forma especial e especialmente perfeita do próprio jogo" (*ibidem*).

A "estátua" é um exemplo de jogo. Nele, as crianças começam a dançar enquanto a música toca e, quando a música para, imitam estátuas. Outra maneira de mediar esse jogo é a "estátua montada": um grupo dança e outro grupo observa, e, quando a música para de tocar, o grupo que estava observando remodela as estátuas que estavam dançando.

Há inúmeras possibilidades de criação e recriação a partir desse jogo, tais como dançar sem música e parar quando a música toca; dançar até ser tocado por alguém e voltar a bailar ao receber outro toque. Nesse caso, é importante estar atenta para que a proposta não se desdobre em um pega-pega, perdendo o caráter dançante e artístico. A docente pode orientar que os toques sejam performáticos, expressivos e executados durante a dança. Outra opção implica parar quando quiser e voltar a dançar quando alguém imitar a pose. As poses/estátuas podem ser temáticas. Ou seja, para cada jogo existem infinitas variações, dependendo da curiosidade e da abertura ao diálogo e à criação do grupo participante, inclusive de quem está mediando.

No capítulo a seguir, por exemplo, a vivência nomeada "Uma noite no museu" é uma variação do jogo da estátua. Além do mais, nele apresentamos mais ideias para ampliar o jogo da amarelinha, do caracol e do pula-elástico, mas aproximando-os do *breaking*.

A fluidez e a facilidade para realizar diferentes adaptações e transformações pode ser despertada por um olhar que busca os elementos centrais de cada jogo – que, no caso da estátua, reside nas ações de pausa e movimento, e, na amarelinha, nos saltos – investindo insistentemente nas perguntas: "O que mais é possível modificar? Quais alternativas encontro? Como realizar de outro modo?"

Além disso, visualizou-se no jogo "morto, vivo ou enterrado", proposto por Fernanda Almeida (2016), uma maneira pertinente para ensinar o *elevé* e o *plié*, passos principais do balé, adaptando-os da seguinte forma: de início, as crianças são organizadas em círculo e, quando a professora diz "vivo", todas realizam o *elevé* (levantar o corpo e apoiar na meia ponta dos pés com os joelhos estendidos); quando a professora diz "morto", as crianças executam um *plié* (semiflexão dos joelhos); e, quando ela diz "enterrado", as crianças se sentam no chão.

Outro elemento lúdico muito utilizado neste estudo foram os brinquedos cantados, que se consolidam por meio da linguagem artística da música. Por sua aproximação com a dança, eles foram enfocados durante as intervenções.

Segundo Ione Paiva (2000), os brinquedos cantados retratam nossa cultura, são sempre dinâmicos e funcionais e de fácil compreensão e assimilação. Ademais, são compreendidos como formas lúdicas de brincar com o corpo, com músicas e sons, a partir da linguagem. Eles associam o movimento do corpo e a expressão vocal em uma única prática, possibilitando às crianças a expressão corporal comunicativa e afetiva na forma de manifestações de alegria, palmas, gestos e até mesmo gritos.

Para exemplificar, o brinquedo cantado "Fui no Itororó"[9] foi relacionado ao balé, com toda a meninada em roda cantando, enquanto uma participante por vez ia ao centro dançar. Quando a música terminava, a criança que estava no meio da roda fazia uma *reverancé*[10] e convidava outra a entrar. Na maioria das vezes, esse brinquedo cantado foi utilizado para finalizar a aula, para que as crianças colocassem em prática, de maneira mais autônoma, alguns passos utilizados nas vivências.

Por fim, o faz de conta, elemento central na infância, também foi evidenciado nas intervenções. Este se caracteriza por ser uma ação que destaca a situação imaginária na qual a criança pode fantasiar, imitar e incorporar papéis. Fernanda Almeida (2016, p. 64) faz uma aproximação entre o faz de conta e a dança, colocando-o como uma interessante proposição para mediar a dança com a pequenada, uma vez que pode ampliar as possibilidades do movimento, a dramaticidade do gesto, a criação, a sensibilidade e o sentido da vivência.

Uma forma de conexão entre o faz de conta e o balé foi a elaboração da história *Caminho de pedras da bailarina*. Primeiramente, sugerimos que as crianças fechassem os olhos e imaginassem um caminho cheio de pedras preciosas e cristais. Quando abriram os olhos, havia na sala um caminho com papéis coloridos, EVA[11], bambolês e fitas de cetim. A história para aquele cenário foi criada de modo coletivo; em tal cenário, as crianças executaram individualmente alguns passos do balé, como *sauté*, *echappé*, *gallop*[12] e *skip*[13], transpondo os materiais.

NA TRILHA DA AÇÃO DANÇANTE

Com base nos aprofundamentos e reflexões em torno dos conceitos já apresentados, somados à experiência profissional da autora, elencaram-se os conteúdos do balé mais indicados para as crianças de

4 e 5 anos de idade, associando-os ao lúdico e aos princípios metodológicos destacados por Fernanda Almeida (2016). Essa autora não discorre sobre o balé; desse modo, realizaram-se adaptações e transposições para responder à pergunta da pesquisa.

Os conteúdos priorizados para as vivências em balé foram os passos básicos *tendu, plié, elevé, sauté, skip, echappé* e outros. Também utilizamos elementos da dança, como ações corporais (deslocar, parar, saltar, girar, torcer, encolher, esticar, rolar, entre outros), peso, equilíbrio e espaço (Almeida, 2016).

Segundo a autora, o peso "é um dos fatores de movimento da teoria de Laban e pretende transmitir a intenção do sujeito na ação". Ele é classificado em duas qualidades: leve e firme. "Os movimentos leves necessitam de uma menor força em sua execução e revelam suavidade e leveza [...]. O peso firme é o oposto e requer maior grau de contração muscular para o movimento acontecer" (Almeida, 2016, p. 86). No balé, utilizam-se ambos os pesos; o leve está presente, na maioria das vezes, nos braços, em suas movimentações suaves de *port de bras*[14]; o firme se materializa nas pernas, com os *grand battements*[15], *tendus* e *glissés*.

Nas aulas de balé, uma maneira de conceituar e vivenciar o peso leve é utilizar balões, tecidos mais finos, translúcidos, e fitas, associando-os a imagens de nuvens, folhas ao vento e plumas. O firme pode ser apresentado com exercícios de resistência ao ar, como se as crianças andassem na lama ou empurrassem algo muito pesado.

Já o equilíbrio é a percepção do eixo corporal e das bases de sustentação do corpo. Existem três tipos de equilíbrio e todos eles são evidenciados na dança. O equilíbrio estático consiste na inibição voluntária do movimento, que no balé pode ser representado pelo *elevé* e pelo *passé*. O equilíbrio dinâmico se refere ao controle do corpo em situação de deslocamento no espaço, envolvendo, por exemplo, o *couru*[16]; e, por fim, o equilíbrio recuperado, que provoca a estabilização após os saltos (Almeida, 2016). Todos eles são relacionados à postura, que, segundo Mauro de Mattos e Marcos Neira (2004), é o posicionamento do corpo, algo também bastante enfatizado no balé.

Para exemplificar, em um dos momentos da pesquisa, oferecemos um pedaço de EVA para cada criança colocar no topo da cabeça. O desafio era deslocar-se pela sala de maneira distribuída, em diferentes trajetórias (em linha reta, circular e ziguezague) e níveis (alto, médio e baixo) sem deixar o EVA cair. Foram propostas também diversas poses de equilíbrio com um pé só.

Almeida (2016, p. 41) destaca "o espaço como um elemento importante para a dança. Essa linguagem se utiliza necessariamente dele, construindo-o e ressignificando-o. É no espaço que o corpo se situa e onde se desenvolvem os movimentos expressivos". Nesse sentido, o espaço se divide em diversos conceitos, entre eles distância, direções, progressão e níveis.

A distância refere-se a perto e longe. Nas aulas de balé, pode-se sugerir que as crianças dancem bem próximas ou bem afastadas umas das outras ou de algum objeto. No Capítulo 7 comentamos nossa percepção a respeito de as crianças estarem constantemente "amontoadas" e a estratégia utilizada por meio das metáforas da flor e das pedras.

As direções consistem em esquerda e direita, frente e trás, em cima e embaixo, podendo ser trabalhadas no balé com o *port de bras*.

Já a progressão no espaço é, segundo Rudolf Laban (1978), o deslocamento do ponto de apoio do corpo em diferentes trajetórias – linha reta, circular, ziguezague, entre outras –, promovendo desenhos no solo. Um exemplo para a realização desse elemento é a execução de movimentos de deslocamento, como o *couru* e o *skip,* nas diferentes trajetórias, utilizando objetos para a marcação no chão. Uma alternativa interessante é solicitar que as crianças realizem determinada progressão criando a própria sequência coreográfica, podendo incluir movimentos que não são do balé. Isso lhes oferece a possibilidade de demonstrar outras habilidades para além das que rotineiramente executam em uma aula de dança.

Os níveis tratam da altura no espaço em que as ações acontecem, e se classificam em alto, médio e baixo. No balé, utiliza-se com maior enfoque o nível alto, pois destaca a postura ereta e os saltos;

o nível médio também é empregado, mas com pouca frequência; o nível baixo praticamente não é aproveitado. Contudo, nesse curso de dança, todos os níveis foram vivenciados, pois, além de auxiliarem na ampliação e na diversificação das experiências de movimento na infância, notamos como essa gente de pouca idade tem prazer de estar e brincar no chão.

Como estratégias para a mediação de tais conceitos associados à consciência do corpo, usufruiu-se essencialmente de jogos, brincadeiras, brinquedos cantados e faz de conta, discutidos anteriormente.

Além do lúdico, o curso foi embasado nos preceitos de Fernanda Almeida (2016), que recomenda que a dança com crianças enfatize a interação social, a improvisação, a imitação e a apreciação estética. A interação social é uma forma de sociabilização, de estar com outra pessoa; é relevante para favorecer a cooperação, a solidariedade e o respeito à diversidade. Nas intervenções de balé dessa pesquisa, a interação foi estimulada por meio de atividades em duplas ou trios ou quando se pedia que as crianças decidissem algo em conjunto, como escolher o jogo e compor a história coletivamente, entre outros.

A improvisação, segundo Fernanda Almeida (2016, p. 68), "é compor, rearranjar e mesclar movimentos do repertório motor baseados em algum tema, motivação, objeto, música, parceiro, entre outros", criando gestualidades para além das usuais. Nesse sentido, deve-se considerar a importância dela para o grupo etário, uma vez que contribui para a criatividade, a autonomia, a identidade e a tomada de decisão.

A imitação também é uma estratégia metodológica pertinente à abordagem da dança com crianças; contudo, deve ser empregada com cautela e consciência. Sem um objetivo claro, ela pode se transformar em uma reprodução vazia que pouco acrescentará à garotada. Segundo Fernanda Almeida (2016, p. 44),

[...] é necessário que imitar não seja uma ação reprodutiva sem sentido, que impeça os pequenos de reelaborar suas experiências como uma manifestação pessoal. Um exemplo de como trabalhar a imitação e a reelaboração dos movimentos é a utilização de DVDs de espetáculos de dança. A criança aprecia, reconhece os signos desta linguagem artística, imita os artistas e depois reorganiza os movimentos à sua maneira, surgindo uma nova composição.

Por fim, a apreciação estética é um momento no qual as crianças assistem a algo proposto pela docente, como um vídeo ou coreografias dançadas ao vivo. Na pesquisa, esta se dava principalmente quando, nos momentos de improvisação, as crianças eram organizadas em dois grupos e cada grupo assistia ao outro, o que era seguido de uma conversa sobre a experiência.

Partindo de todos os elementos e conceitos apresentados, elaborou-se o curso de balé infantil, com uma construção semanal dos planos de aula, apoiada pelas constantes reflexões ao longo do processo.

(MU)DANÇA E (TRANSFORM)AÇÃO

As 15 intervenções ocorreram entre os meses de agosto a outubro e, como desde o início do ano as vivências para essa turma estavam sendo mediadas pela professora/pesquisadora, não houve necessidade de uma adaptação entre ela e as crianças. Entretanto, a proposta metodológica das aulas foi alterada para responder à pergunta da pesquisa; com isso, as pequenas demonstraram um pouco de dificuldade de compreender e aceitar que na dança também poderiam brincar.

Ao longo do processo, foi possível notar todas se divertindo bastante. Além das usuais histórias de princesas, castelos, magia e flores, associadas à realização de passos específicos, brincou-se de pega-pega e imitação de animais, algo pouco habitual em uma aula de balé.

Em especial, no segundo dia de intervenção, mediou-se o faz de conta criado pela professora/pesquisadora intitulado *Animal da floresta*, no qual as crianças foram convidadas a imaginar que estavam em uma floresta, transformando-se nos diferentes animais citados na história. Nessa proposição, a garotada imitou os animais livremente, rastejando, rolando e engatinhando, ações corporais poucas vezes vivenciadas no balé.

Tal procedimento deixa de lado, por ora, as peculiaridades dessa dança para atender às necessidades e aos interesses do universo infantil diante do encantamento pelos elementos da natureza e promover um desenvolvimento integral favorecendo a ampliação das experiências de movimento, das capacidades comunicativas e das perspectivas sobre si e o meio. A esse respeito, Ana Carolina Freitas (2012, p. 2) observa que, "quando gozamos da liberdade de brincar com o corpo, ganhamos em criatividade, autonomia, confiança e nos relacionamos melhor com o outro".

Sobre o jogo, na 12ª intervenção mediou-se a vivência do "Siga o mestre", que consistiu em escolher aleatoriamente uma criança para ficar à frente do grupo e liderar a dança do restante das colegas. Para que todas vivenciassem a experiência de estar à frente, a professora/pesquisadora permaneceu atenta para alternar a mestra.

> O siga o mestre foi um sucesso, todos ficaram empolgados para que sua vez chegasse, e isso fez que eles se mantivessem animados com a vivência. Percebi que as crianças ficaram felizes por poder comandar a turma. Dessa forma, notei o que elas estão aprendendo durante as intervenções de balé, pois quando elas fazem sozinhas e sem um direcionamento, mostram o que está ficando do curso. (Diário de campo, 19/10/2016)

Ao imitar umas às outras, as crianças ampliaram suas experiências corporais e a coordenação do movimento; utilizaram o espaço nas diferentes direções, progressões e níveis, acompanhando a música, criando gestualidades e improvisando. Tal jogo pode despertar a autonomia, uma vez que elas podem escolher como vão liderar os movimentos.

No 13º encontro, o jogo "Coelho saiu da toca" foi adaptado para "Bailarina saiu da casa", utilizando vários bambolês que ficaram espalhados pela sala. Em seguida, propôs-se que as crianças passeassem pela floresta fazendo *skip* ou *gallop* e, quando dissessem "Bailarina saiu da casa", deveriam entrar no bambolê. Para modificar a vivência, foram retirados alguns bambolês para que várias crianças ficassem juntas na mesma "casa", favorecendo a cooperação e a interação, até que permaneceram apenas três casas e todas as crianças dentro delas.

> Essa vivência foi surpreendente; alguns participantes nunca tinham feito essa atividade, outros já a conheciam, mas a logística de tirar os bambolês e todos ficarem em um só foi muito divertida. Eles tiveram que se abraçar e pude perceber que executaram o passo do balé que foi proposto. (Diário de campo, 3/10/2016)

Sobre o brinquedo cantado, no 6º encontro, este foi ofertado para motivar exercícios de alongamento, por meio das cantigas "Dona Aranha" e "Borboletinha"[17]. Nesse ensejo, a professora/pesquisadora relatou perceber que, ao cantar e dançar, tal elemento lúdico possibilitou a interação social, a musicalização e a dissociação do movimento, aspectos relevantes para o contato com o balé.

Além de possibilitar o aprendizado dos passos dessa dança de maneira prazerosa, as atividades lúdicas também auxiliaram a memorização e o ensaio da coreografia para o espetáculo de final de ano. No jogo "1, 2, 3", ao enunciar cada número, a professora/pesquisadora favoreceu diversas formas de organização pelo espaço, como círculo, coluna e fila intercalada – todas elas, posições da coreografia. Conforme registrou em seu diário de campo, sua percepção foi a de que, com essa estratégia, as meninas ficaram mais motivadas e aproveitaram melhor o ensaio. Em outro jogo, ela registrou:

> [...] criei essa atividade para que as crianças decorassem seus lugares na coreografia. Ela consistiu em separar a turma em três grupos: o grupo 1 seria composto das minhas filhas; o grupo 2, das filhas da auxiliar V.; e o grupo 3, das filhas da auxiliar A. A partir disso, foi solicitado que todas fechassem os olhos para que as "mamães" mudassem de lugar, e ao sinal elas deveriam ir correndo, como bailarinas, fazer um círculo com a sua respectiva mãe. E assim repetimos várias vezes. Fiquei contente ao perceber que as crianças gostaram dessa vivência, pois uma grande dificuldade que tenho é com o desinteresse ao ensaiar para o espetáculo. (Diário de campo, 26/9/2016)

DANÇARELANDO

Ao final de cada intervenção, oferecíamos um momento de improvisação e apreciação, pois, nos planos de aulas, esses conteúdos caminhavam juntos. Então, as crianças escolhiam e realizavam movimentos aprendidos em suas vivências anteriores, fossem eles passos de balé ou qualquer outro gesto que estivesse na memória corporal delas. Era um momento em que as meninas se sentiam livres para dançar a dança delas. E, enquanto dançavam, suas colegas apreciavam. Na sequência, ocorria um diálogo entre todas.

Ao longo do processo, notou-se que as crianças realizaram os movimentos com maior interesse e dedicação e que as atividades de velocidade foram idolatradas pelas participantes. Elas correram, gritaram e se alegraram.

A respeito do espetáculo, o pai de uma das crianças afirmou notar sua filha mais entusiasmada para ir às aulas de balé, uma vez que, antes dessa proposta lúdica, ela estava desmotivada. Dessa forma, compreendeu-se que os resultados estavam surgindo e se consolidando.

RE-FLEXÕES

Nossa pesquisa sobre a possibilidade de abordar o balé com crianças entre 4 e 5 anos de idade por meio de jogos, brincadeiras, brinquedos cantados e faz de conta envolveu o estudo de autoras e autores que discorrem sobre o tema, bem como a elaboração e aplicação de um curso de balé com uma abordagem lúdica.

A intervenção no campo foi intensa e produtiva. A proposta construída estava inserida na perspectiva já citada e se concretizou como um caminho metodológico interessante. A professora/pesquisadora observou que as crianças aprenderam os passos do balé brincando e se divertindo, e que elas mostravam mais atenção e interesse pelas atividades.

Em alguns momentos, no decorrer do processo, o universo das princesas e dos seres mágicos deixou de ser empregado; havia temas de animais, estátua, pega-pega, entre outros. Tal estratégia pode favorecer a construção e o despertar de diferentes maneiras de viver a feminilidade, aproximando-se das discussões atuais sobre o papel/identidade da mulher na sociedade (não mais como frágil e submissa).

Dessa forma, o balé pode aguçar a curiosidade e possibilitar o interesse de outras crianças em relação a personalidades diversas: aquela que gosta da bruxa, que brinca de bola, que tem casca de ferida, marca de vacina, bigode de groselha e medo de vertigem, contrariando a "Ciranda da bailarina", de Chico Buarque e Edu Lobo.

Por fim, ao refletir sobre a experiência, a professora/pesquisadora declarou notar, em si mesma, uma maior segurança e clareza em relação às necessidades da infância. Antes, suas expectativas residiam na realização ideal dos movimentos próprios do balé, sendo constantemente frustradas pelas crianças, que preferiam permanecer correndo ou gritando. Nesse sentido, ela destacou ter descoberto sua identidade docente, uma vez que se encantou com a abordagem lúdica e passou a criar vivências e histórias para que as aulas continuassem motivantes e próximas do universo infantil.

Ao longo do processo, ficou nítido que a prática e a pesquisa sobre a prática são fontes inesgotáveis de possibilidades e experimentações; cada turma, docente, contexto geram uma combinação peculiar e inusitada, contestando a produção de modelos ou "receitas de bolo".

Espera-se, a partir deste estudo, despertar o interesse de outras/os professoras/es atuantes do balé infantil pelo lúdico e seus elementos na mediação com as crianças. Que elas/eles possam também investigar suas práticas e descobrir caminhos que motivem as/os bailarinas/os.

4. BRINCADEIRA DE RUA: UMA ABORDAGEM LÚDICA DO *BREAKING* NA ESCOLA[1]

Jéssica Tavares de Faria
Fernanda de Souza Almeida

CENA 1

Breaking, break dance, breakdancing ou *break* é uma estética de dança urbana que integra a cultura *hip-hop*. Tal cultura abarca elementos de três expressões artísticas: 1) a dança (*breaking*); 2) as artes plásticas (*graffiti*), transformando muros, fachadas ou paredes em grandes telas; e 3) a música, composta por dois elementos, o DJ (*disc jockey*), que produz a música, e o MC (mestre de cerimônias), que atua no canto falado. Esses elementos estão intimamente conectados, constituindo um território de relações que se materializam no espaço urbano. Como relata Gilberto Yoshinaga (2014),

> Identificadas as afinidades entre *rap, breaking* e *graffiti*, formou-se a cultura hip-hop – expressão que havia sido criada por Bambaataa em 12 de novembro de 1994 [...]. Como a violência tinha índices elevados no Bronx, ele teve a ideia de substituí-la pelas práticas artísticas, sugerindo que as brigas fossem resolvidas através de batalhas de *breaking* ou rimas. Com o tempo a cultura hip-hop se espalhou por outras cidades dos EUA e, em seguida, por todo o mundo, tornando-se um dos principais fenômenos culturais das últimas décadas. (p. 173)

No Brasil, como em tantos outros lugares, o *breaking* eclodiu principalmente por meio da mídia, que mostrava ao público alguns breves passos. Esses poucos momentos foram suficientes para seduzir jovens de todo o mundo, inclusive no Brasil. Allyson Garcia (2007) salienta quanto as festas foram importantes para a disseminação de ideias a respeito do cotidiano de pessoas que encontraram no *hip-hop*, além da diversão, uma forma de manifestar suas indignações e aspirações. Com isso, ao se reunir com a turma para treinar passos de dança e ouvir uma música, os jovens começaram a se envolver com a cultura- -*hip-hop* e a ressignificá-la em território nacional.

Ao resgatar a história da cultura *hip-hop* em Goiânia, Allyson Garcia (2007) descreveu vários locais de encontro dos *b-boys* na capital, dentre eles uma das principais vias da cidade: um calçadão na avenida Anhanguera, esquina com a avenida Araguaia. Atualmente, o *breaking* encontra mais espaços para se manifestar nessa capital; ainda em calçadões, quadras, praças e parques, mas também em escolas, institutos, circos, ginásios, clubes, academias, igrejas, faculdades e na casa de alguns *b-boys* e *b-girls*, relevando seu crescente reconhecimento como uma expressão artística. Não obstante, são poucos os lugares fixos nos quais essa dança acontece. Na maioria das vezes, tais locais estão inseridos em cenários onde a violência se manifesta com mais frequência.

Ademais, justamente por ser uma manifestação majoritariamente juvenil, os treinos costumam acontecer no período noturno e em finais de semana. Sendo assim, as crianças têm pouco acesso a essa expressão, pois dependem de seus responsáveis para acompanhá-las. Além disso, não há tanta preocupação com um ensino que leve em conta as especificidades da infância, dado que, tradicionalmente, a aprendizagem do *breaking* acontece através da observação, reprodução e repetição exaustiva dos movimentos – aprendizagem por vezes pouco estimulante para a criançada.

Por isso, a fim de que o *breaking* seja atrativo e significativo para elas, é necessário aproximá-lo de seus interesses. E foi nesse contexto que a pesquisadora Jéssica, *b-girl*, ao compor a equipe do projeto de extensão Corpopular[2], vinculado ao curso de Dança da UFG, começou a refletir sobre caminhos para ofertar a dança de rua na escola, investigando estratégias de abordagem.

A partir do segundo semestre de 2016, o projeto assumiu o desafio de investigar a aproximação entre o *breaking* e os jogos da cultura popular infantil, oferecendo vivências às crianças entre 8 e 10 anos matriculadas no Centro de Ensino e Pesquisa Aplicada à Educação (Cepae) da UFG. Para tal, a equipe se encontrava regularmente para estudar, refletir, discutir e propor conexões tanto no campo teórico como no prático. Ao experimentar as aulas que seriam ofertadas na escola, tentamos nos colocar no lugar das crianças – o que aguçou a percepção sobre dificuldades que poderiam surgir ao longo desse processo de via dupla, no que tange à relação entre o ensinar e o aprender e entre docente e estudante.

Além do mais, ao assumirmos a essencialidade do componente estético e de um saber encarnado na formação docente, buscamos, por meio dessas oficinas, instigar nas futuras professoras um olhar sensível para as movimentações, expressões e peculiaridades infantis, rompendo com considerações prévias e reconhecendo que meninos e meninas de pouca idade produzem uma cultura infantil e danças próprias.

Notamos que o ensino do *breaking* tem se modificado bastante. Quem se dedica a ensinar a técnica da dança procura cada vez mais referências sobre seu contexto histórico e metodologias de ensino. Temos observado que docentes em workshops e oficinas de *breaking*, além de buscar formas mais didáticas para abordar os movimentos e evitar lesões, se preocupam em instigar os aprendizes a estudar a cultura, e constantemente afirmam que fazer parte do movimento *hip--hop* é também se engajar politicamente. Contudo, há uma escassez de materiais bibliográficos sobre o assunto, sobretudo de sistematizações da prática e metodologias de ensino com as crianças (Almeida, 2016).

Nesse contexto, entre encontros brincantes, expressivos e criativos, indagou-se: como proporcionar vivências nessa estética de dança com crianças, dialogando com os vários elementos que compõem o brincar e as diversas linguagens do universo infantil? Dessa forma, esse estudo teve como objetivo geral elaborar e oferecer um curso de dança de rua a crianças do 1º ano do ensino fundamental de uma escola estadual da cidade de Senador Canedo (GO), tendo o lúdico como um dos princípios metodológicos centrais.

O percurso dessa investigação perpassou o estudo de referenciais teóricos como Gilberto Yoshinaga (2014), Allyson Garcia (2007),

Renata Silva (2011) e Fernanda Almeida (2016), desenvolvendo-se nas seguintes ações:

a) organização dos componentes que estruturam o *breaking* e identificação das possibilidades de abordagem com a infância;
b) compreensão do brincar e sistematização de sequências didáticas em dança;
c) construção de um curso e sua disponibilização às crianças matriculadas em uma escola estadual de Goiás;
d) relato e reflexão acerca da experiência e apontamentos de contribuições para a área.

A opção pelo *breaking* se deu por uma questão de afinidade com a estética. Entretanto, consideramos que a dança deve ser oferecida na escola de forma mais ampla, em todas as suas possibilidades. Quanto mais acesso à diversidade dessa linguagem artística as/os estudantes tiverem, maior será a amplitude do conhecimento. A inserção dessa pesquisa na escola buscou oportunizar às crianças uma aproximação com a dança como área do saber, considerando as características e necessidades da infância.

Para tal, fez-se uso da etnometodologia, uma abordagem metodológica de pesquisa que, como aponta Alain Coulon (1995), tem a pretensão de estar mais perto da vida cotidiana, buscando imergir na experiência sem os filtros da descrição científica.

O desafio de uma das pesquisadoras foi, então, o de retomar suas experiências e conhecimentos como *b-girl*, a história do *breaking*, estudar os elementos que o compõem, assistir a vídeos e participar de eventos que envolvessem a cultura *hip-hop*, mergulhando cada vez mais nos espaços em que essa manifestação acontece, em Goiânia e arredores. Tal ação se fez relevante, uma vez que a etnometodologia "mostra que temos à nossa disposição a possibilidade de apreender de maneira mais adequada aquilo que fazemos, para organizar a nossa existência social" (Coulon, 1995, p. 7).

Ao pesquisar, relembrar e praticar a dança, estivemos atentas às ações cotidianas das atrizes e atores sociais do *hip-hop*, especialmente dos *b-boys* e *b-girls* (inclusive da pesquisadora Jéssica), o que permitiu "pôr em evidência os modos de proceder pelos quais os atores interpretam constantemente a realidade social, inventam a vida em uma permanente bricolagem" (*ibidem*, p. 32).

Nesse sentido, ao se atentar à forma como as *b-girls* e os *b-boys* se organizam, utilizam, produzem, atualizam e compartilham suas práticas cotidianas na dança, observou-se um conjunto de componentes que estruturam/permeiam o *breaking* de modo entrelaçado. Para desembaraçá-los, optou-se por dividi-los em três conjuntos: pontos estruturais, grupos de movimentos e características, apontados no tópico seguinte.

CENA 2

A organização dos componentes do *breaking* em três conjuntos decorre, como vimos, de nossas interpretações ao imergir nessa estética de dança, contextualizada pelas pessoas que a praticam rotineiramente, e do estudo de materiais teóricos.

As "características" são as qualidades expressivas das danças presentes no *hip-hop* como um todo, que favorecem a compreensão do contexto histórico e social desse movimento cultural. Trata-se de simbologias que oferecem importantes pistas para trabalhar o corpo de maneira crítica e questionadora no ambiente escolar, local em que, conforme Renata Silva (2011, p. 18), "se faz necessária uma abordagem sensível e criativa que considere a realidade ao redor dos estudantes e que proponha modos de refleti-la e transformá-la [a dança]".

Isso posto, Silva (2011) aponta que tais características são: urbanidade, marginalidade, enfrentamento, gestualidade, violência simbólica e negritude; estas "não são independentes, ao contrário, aparecem atadas umas às outras em um só corpo" (p. 89).

Já os "pontos estruturais" são os elementos que, juntos, identificam o *breaking*: a *b-girl* e o *b-boy* (dançarinos); *crews* (grupos de dança); batalhas (competições); roda (organização espacial); *cypher* (roda livre); improviso; criatividade; ritmo e musicalidade; *feeling* (sentimento/expressão); identidade etc. Em especial, a roda é o formato tradicional dos treinos e batalhas, local de aprendizagem e apresentação, onde acontece o maior desenvolvimento das/os dançarinas/os, observando, tentando, improvisando e errando.

Por fim, os "grupos de movimento" do *breaking* são formados por vários fundamentos – as bases ou passos principais. É importante ressaltar que as nomenclaturas são descritas pela forma usual das e dos praticantes em seu cotidiano; no entanto, a realidade é difusa e tais termos podem apresentar variações, dado que a aprendizagem do *breaking* acontece sobretudo de maneira informal; e também pelo fato de os nomes serem em língua inglesa, o que muitas vezes dificulta a transmissão oral. São eles: *top rock, up rock, drop, footwork, power move* e *freeze*.

Assim, a partir da experiência da pesquisadora Jéssica como *b-girl*, selecionamos alguns grupos de movimentos e, em vez de ensinar seus fundamentos, optamos por estratégias que estimulassem a experimentação das qualidades gerais de cada grupo, valorizado a fluidez gestual sem distanciá-la da essência do *breaking*.

Com base nisso, elaboramos um projeto de curso para apresentar a uma instituição que tivesse interesse em acolher a pesquisa. Na cena seguinte, revelamos os caminhos que foram percorridos para a inserção deste projeto na escola.

CENA 3

A escola que nos recebeu foi um colégio estadual em Senador Canedo (GO). O primeiro motivo para a escolha dessa instituição foi sua modalidade em tempo integral; dessa maneira, o curso de dança não seria optativo, como uma atividade de contraturno. Isso garantiria a participação de todas as crianças, evitando, assim, dificuldades que poderiam surgir – como a locomoção da garotada ou a incompatibilidade de horários com os compromissos de seus responsáveis. O segundo motivo foi que se trata de uma escola pública: ali teríamos a oportunidade de oferecer um retorno à comunidade, valorizando e contribuindo com a educação brasileira.

O projeto de dança foi apresentado à gestão educativa, seguido de cinco dias de observações não participantes, no intuito de conhecer a estrutura e os profissionais da escola, a matriz curricular e o cotidiano das crianças – bem como compreender minimamente seus interesses e como se relacionavam entre si e com as pessoas adultas, entre outras informações que pudessem fornecer pistas para compor o curso que seria oferecido.

Dentre as observações, alguns aspectos nos chamaram a atenção: o pouco espaço/tempo para o intervalo, a escassez de materiais de recreação e a ausência de jogos pintados no chão, tais como amarelinha e caracol. A esse respeito, percebemos quanto o momento do brincar é importante para as crianças que esperam ansiosamente por ele quando estão na escola. Nossa percepção coincide com as reflexões realizadas pelo projeto Território do Brincar, que, ao imergir na rotina de meninas e meninos em diferentes lugares do Brasil, constatou que o primeiro aspecto comum entre as diversas infâncias é

> [...] o brincar como linguagem universal da criança. Independentemente de sua condição social, a criança brinca como forma de se apropriar do mundo, do outro e de si mesma. O brincar é um ato genuíno e intrínseco a essa fase da vida. Logo, as crianças brincam não porque um adulto ou uma instituição definiu que brincar é um conteúdo curricular importante, mas porque é a forma como elas expressam seus sentimentos, pensamentos e desejos. As brincadeiras, jogos, cantigas, brinquedos formam um conjunto de saberes e fazeres que pode ser compartilhado e ensinado de geração a geração, mas, aqui, foco no brincar como uma ação deliberada e com um fim em si mesma, que se origina na motivação, no interesse e na ação da própria criança. (Leite, 2015, p. 64)

Nesse contexto, ao perceber o prazer que as crianças tinham com o brincar e, por outro lado, a escassez de tempo/espaço/materiais para que se apropriassem das brincadeiras, decidimos abordar o *breaking* com elas por meio do lúdico. Fernanda Almeida (2016, p. 45) aponta que outra característica "relevante no universo da criança pequena é a ludicidade" – um universo de alegria e prazer, em um momento de entrega total e plenitude de experiência, que envolve jogos, brinquedos e brincadeiras. Segundo a autora, para um trabalho em dança, o jogo se configura como uma opção metodológica interessante e divertida para apresentar, de maneira sistematizada, os elementos da dança.

Há autoras e autores que diferenciam conceitualmente jogo de brincadeira, mas nessa investigação optamos por denominar *brincadeira de rua* os jogos da cultura popular infantil, tais como amarelinha, pular corda e vivo-morto, porque é a forma usual como as crianças se referem a essas atividades. A ênfase em tais brincadeiras na escola proporciona a ampliação das perspectivas de si, das outras pessoas e do meio, "por garantir o acesso ao patrimônio material e simbólico da humanidade, bem como à produção de novos saberes e fazeres. Isso pressupõe oferecer tempo e espaço à experiência e à construção de sentidos pelos sujeitos" (Leite, 2015, p. 67).

Desse ponto de vista, o espaço da criança que brinca é o aqui, o tempo é o agora, que se manifesta por meio do corpo e se prolonga em movimentos de *sentidos* (tanto sensoriais como de significados). O brincar, como linguagem de conhecimento, é uma criativa narrativa da alma, que expressa a sua verdade.

Um segundo aspecto a ser destacado nas observações foi algo que ocorreu dentro da sala de aula. A professora distribuiu uma atividade e pediu às crianças que colorissem apenas os seres vivos desenhados na folha. Percebendo uma intensa movimentação dessa gente de pouca idade levantando-se de seus lugares para pedir o tal lápis "cor de pele", ficamos curiosas para averiguar como estavam pintando. Aguardamos até o momento do recreio e pedimos à professora para ver as "tarefinhas". Fizemos uma rápida conta: nesse dia haviam comparecido 25 crianças e apenas duas delas coloriram o desenho do menino ou o bebê de marrom; a maioria havia usado o lápis "cor de pele". Sem precisar quantificar ou classificar as crianças dessa escola, é reconhecível que a maioria é negra, isso apenas a partir da cor da pele. Não vemos problema em terem colorido as pessoas com a cor salmão, mas será que, em termos quantitativos, isso não refletiria uma problemática sobre a questão racial que estaria permeando o cotidiano dessas crianças?

Não é difícil identificar que são várias as influências na construção que a garotada faz da imagem sobre a pessoa negra/o e sobre o que significa ser negra/o. Nos programas de TV, filmes, novelas, comerciais, livros e brinquedos, a maioria dos personagens são de pele clara. Logo, o que elas veem desde cedo é que esse é o ideal de beleza e humanidade. Isso quando os traços das pessoas negras não são expressos de forma pejorativa por apelidos e piadinhas, ou simplesmente ignorados.

A questão da baixa autoestima das crianças negras é ainda mais cruel, pois elas não têm consciência de uma série de padrões preconceituosos, constituídos ao longo de séculos, que as afetam direta ou indiretamente. Nesse sentido, avaliamos que, se não houver uma intervenção por parte da família e da escola, trabalhando desde cedo a formação étnica e as diferenças de modo geral, as crianças crescerão se sentindo inferiores.

Como afirma Inaldete de Andrade (2005, p. 120), "[...] é a ausência de referência positiva na vida da criança e da família, no livro didático e nos demais espaços [...] que esgarça os fragmentos de identidade da criança negra, que muitas vezes chega à fase adulta com total rejeição à sua origem racial, trazendo-lhe prejuízo à sua vida cotidiana".

Vale lembrar que o lápis "cor de pele" é só um exemplo, entre tantos outros, que as crianças reproduzem mesmo sem ter conhecimento das suas consequências.

A partir dessa situação, a necessidade de abordar a questão das relações étnico-raciais nas aulas de *breaking* se manifestou com intensidade. Decidimos que trabalhar com as cores seria uma forma interessante de abordar essa temática, além de ter uma forte relação com o próprio contexto do *breaking*. Assim, associando o movimento às cores, o curso recebeu um nome: Colorindo o Movimento.

CENA 4

Levando em consideração as especificidades do grupo etário, de forma que a experiência fosse significativa e ampliasse não só o repertório de movimentos, mas seus saberes sobre arte e cultura – além de dialogar com aspectos que envolvessem as relações sociais afetivas no dia a dia educativo em direção à diversidade –, elaboramos um sequenciador para 13 encontros. Esse plano proveio da relação entre o estudo bibliográfico abordado nas cenas anteriores e o contexto observado, a fim de proporcionar uma vivência lúdica em que as crianças pudessem colorir o movimento no tempo e no espaço.

Desse modo, a meninada do 1º ano do ensino fundamental foi organizada em dois grupos com 15 integrantes cada, respeitando o tempo de duração de uma aula de 50 minutos, prevista na rotina institucional.

Os encontros dançantes foram registrados em diário de campo, com prioridade para os relatos críticos e reflexivos de todos os acontecimentos, almejando identificar os aprendizados das crianças e das pesquisadoras. Foram utilizados também como registro os recursos fotográfico e audiovisual, pois estes, ao permitir uma observação distanciada da prática, possibilitaram a percepção de detalhes que podem passar despercebidos quando se está imerso na ação.

Pontualmente, íamos à sala de aula buscar a meninada para levá-la até a quadra; formávamos um círculo e, então, sentávamo-nos para iniciar as vivências. Um ritual que se repetiu em todos os encontros. Essa organização foi uma estratégia para que as crianças se acostumassem com esse formato, principalmente pela relação da roda com o *breaking*.

Logo na primeira proposta em que uma desenharia a outra, muitas crianças coloriram com o lápis de cor salmão, mesmo que a/o colega tivesse pele escura, reforçando nossa percepção ao longo das observações relatadas anteriormente. Ao questionar uma criança sobre a cor que estava utilizando, ela disse que achava a cor salmão mais bonita.

No encontro seguinte, apresentamos o livro *Crianças como você*, do Fundo das Nações Unidas para a Infância (Unicef). A obra explica por que, em alguns países, há uma predominância de crianças com pele mais clara, enquanto em outros predomina a pele mais escura, e também mostra regiões em que as meninas e os meninos são bem miscigenados, como no Brasil. Deixamos que as próprias crianças fossem percebendo e apontando as diferenças de pele, cabelo, vestuário e brincadeiras favoritas da meninada ilustrada no livro. Na sequência, colocamos no centro da roda um grande mapa do mundo, apontando que as meninas e os meninos que elas tinham visto no livro eram de várias daquelas nacionalidades.

Em seguida, mostramos um mapa menor com marcações de alguns países que competiam na Red Bull BC One (batalha de *breaking*). Realizamos brevemente alguns movimentos, comentamos o contexto histórico-social da dança e relatamos que, no decorrer dos nossos encontros, apresentaríamos outros aspectos dessa estética. Nessa perspectiva, Isabel Marques (2003) aponta que é preciso articular os conteúdos da dança em seu contexto mais amplo, para que as e os estudantes compreendam que ela não está desconectada do mundo.

Depois, distribuímos um mapa para cada criança, no qual deveriam seguir o trajeto para encontrar os países mencionados, explorando o espaço da quadra. Conforme encontravam os locais, riscávamos um círculo no chão para demarcar o território; a ação se transformou, posteriormente, na brincadeira do "Coelho sai da toca".

No dia seguinte, explicamos os níveis do *break* e demonstramos alguns movimentos para que a garotada os identificasse. Em seguida, entregamos imagens para que tentassem imitar poses de *b-boys* e *b-girls* representadas em vários níveis. Sobre isso, Fernanda Almeida (2016, p. 5) aponta que, em alguns momentos, a imitação pode ser uma estratégia interessante para abordar a dança com a garotada, pois "[...] também pode favorecer a ampliação do repertório motor, a consciência de si, o desenvolvimento das funções cognitivas e a autonomia, uma vez que a criança imita para dilatar suas possibilidades, reelabora da sua maneira para ousar outras experimentações".

Após experimentarem corporalmente as imagens, fizemos uma roda em que cada um realizava uma pose e as outras crianças adivinhavam o nível. Em seguida, dançamos para que fossem indicando os níveis, aproveitando para explicar os momentos de transição (*drop*), para então experimentarmos várias ações corporais, como ondular, girar, dobrar, encolher, cair, esticar e saltar para mudar de nível.

Na sequência, propusemos uma variação da brincadeira da estátua: espalhamos pedaços de EVA pelo espaço, cada cor representando um nível (amarelo, o sol – nível alto; azul, o mar – nível baixo; e verde, as árvores – nível médio). A partir disso, todos poderiam se deslocar pela quadra em qualquer nível e, quando a música parasse, deveriam encontrar uma cor e utilizar uma ação de transição para ir para o respectivo nível.

Notamos que o conceito de nível foi compreendido, mas as transferências não aconteceram. Para que isso ocorresse, sugerimos a brincadeira do "Vivo ou morto". Ao explicar a proposta, enfatizamos novamente os níveis e ressaltamos que a brincadeira teria uma transição entre o abaixar e o levantar. Explicamos que essa transição poderia acontecer de qualquer forma, menos do jeito comum (agachar e ficar em pé).

Essa brincadeira foi o auge da aula. Conforme as crianças que erravam iam saindo, as que ficavam se arriscavam cada vez mais em novas transições, criando outros movimentos. Quem saía ficava torcendo e observando quem seria a próxima; quanto mais lançávamos desafios, mais elas ficavam atentas aos comandos.

No encontro 4, sugerimos a brincadeira de amarelinha como estratégia para explorarem, no nível alto, alguns movimentos presentes no *front step* (um *top rock*), como saltar, cruzar um pé à frente do outro e retornar ao centro com os pés paralelos. Entretanto, para que as crianças não ficassem ociosas na fila esperando a vez, riscamos um circuito no chão com giz, fazendo várias curvas ligando o céu e a terra. E, em volta desse trajeto, colamos pegadas feitas de EVA, para que explorassem por mais tempo o percurso e as várias possibilidades de deslocamento.

Por esses encontros relatados, em que foram apresentadas algumas brincadeiras, podemos perceber que esse foi um caminho metodológico interessante para oferecer a dança às crianças. A esse respeito, Fernanda Almeida (2016, p. 62) frisa que

> [...] os jogos se aproximam da dança, pois ambos podem ser autênticas bases para a construção do movimento e a ampliação do repertório motor. Neles, as crianças aprendem as possibilidades de ação, tomam consciência do seu corpo, de suas partes, da postura, da forma como se movem, da posição no espaço e das relações entre si e o meio ambiente.

Assim, encontro após encontro fomos introduzindo os conceitos de nível médio, apoios e *foot works*, em vivências de quadrupedia, ora em decúbito ventral, ora em decúbito dorsal – sempre de maneira lúdica e aumentando gradativamente a complexidade.

Após terem incorporado o conceito de apoios, organizamos as crianças em duas filas, uma de frente para a outra. Saindo um de cada vez, atravessaram o espaço em diagonal em direção ao final da outra fila, fazendo apoios inspirados nos animais: aranha, caranguejo, alternando aranha/caranguejo, girando o caranguejo sem colocar um dos pés no chão e assim sucessivamente, a partir de outras ideias advindas da pequenada.

Um exemplo de investigação dos apoios foi a atividade da passarela de papel, na qual as crianças pintaram seus pés e mãos com tintas nas cores marrom e salmão, objetivando visualizar variadas tonalidades de pele.

Nela, apresentamos primeiro a cor salmão e perguntamos que cor era aquela. Todas disseram que era cor de pele. Em seguida mostramos a cor marrom e disseram que era o marrom. Então, questionamos: se existem pessoas das duas cores apresentadas, era certo chamar a primeira de cor de pele? Depois de um momento reflexivo, perguntamos novamente que cor era aquela. Algumas disseram que era rosa claro, outras, bege, mas nenhuma disse novamente ser cor de pele. Com isso, relembramos o livro que mostrava várias crianças de todo o mundo e de tantas tonalidades de pele.

Enquanto falávamos sobre as cores, um menino que tem vitiligo disse com muita alegria: "Olha tia! Eu tenho duas cores". Contivemos a emoção e novamente perguntamos para a turma: se o coleguinha tem duas cores, uma é cor de pele e a outra não? Esses momentos reflexivos deveriam acontecer com mais frequência não só na escola, mas cotidianamente nos ambientes em que a criança convive, pois como afirma Inaldete de Andrade (2005, p. 122),

> [...] uma oficina não é suficiente para crianças brancas ou negras reconhecerem-se como seres diferentes, com histórias diferentes, nem superiores nem inferiores. Uma oficina é um momento de reflexão que deve ser bem conduzido pelo(a) facilitador(a), de modo que as crianças saiam dela fortalecidas – e não envergonhadas, brancas ou negras – para continuar uma convivência onde os estereótipos consigam ser corrigidos e ambos os grupos vivam com mais saúde, livres do racismo, já que o racismo destrói quem o manifesta e quem é vítima.

E nem mesmo 13 encontros são suficientes, pois o combate ao racismo, ao preconceito e à discriminação deve ser um esforço contínuo, que extrapole as fronteiras da escola e transborde para a comunidade.

Para além das brincadeiras, o faz de conta também foi intensamente explorado no curso Colorindo o Movimento. Objetivando propor novas experimentações corporais, circulares próximas do chão (*foot work*), a pesquisadora e *b-girl* Jéssica compôs um poema chamado "A menina Maria", almejando destacar positivamente os traços da estética negra. Sua primeira estrofe dizia:

> *Maria do cabelo enroladinho*
> *e olhos bem pretinhos,*
> *sua cor de pele é marrom*
> *da cor de bombom.*

Enquanto recitávamos o poema, as crianças permaneceram atentas e curiosas para saber como era a Maria. Ao final, propusemos que desenhassem e pintassem a personagem como a imaginavam. Nesse momento, observamos que algumas crianças ainda coloriam a Maria com o lápis de cor salmão, afirmando que essa cor clara era mais bonita. Ao escutar isso, apontamos para a pele de uma das meninas participantes e dissemos: "Olha, a Maria é da sua cor, cor de bombom!" Entusiasmada, a garota trocou o lápis pelo marrom e terminou seu desenho.

Apresentamos a personagem e apontamos especificamente o cabelo da menina. Após retomarmos os movimentos em quadrupedia do encontro anterior, sugerimos que explorassem tais ações em percursos circulares, como se estivessem desenhando o cabelo da Maria com o corpo, variando os apoios.

Ainda nesse dia, brincamos de "Uma noite no museu", inspiradas no filme hollywoodiano de mesmo nome, para experimentar as pausas nos níveis médio e baixo. Nela há uma "vigia noturna" (uma de nós) que anda entre as estátuas verificando se todas estão em seu devido lugar. Sempre que a vigia não estava olhando, as estátuas "ganhavam vida" e podiam se deslocar pelo espaço, na tentativa de atravessar o saguão do museu. Se a vigia visse alguma estátua se movimentando, esta deveria voltar para seu lugar de origem, vencendo o jogo quem conseguisse percorrer todo o caminho sem ser notada.

Percebemos que quanto mais se destacavam as poses inusitadas nos diferentes níveis, mais a pequenada se lançava em novas variações, além de aprender brincando os conceitos do *breaking*.

Para os encontros subsequentes, confeccionamos alguns tapetes coloridos utilizando *banners* e tintas *spray*. Esses tapetes tinham tamanhos e finalidades diferentes para incentivar a variação dos níveis, apoios e ações corporais, aproximando-se do *top rock*, *drop*, *foot work* e *freeze*. Entretanto, as crianças foram além das nossas expectativas: criaram, combinaram e recombinaram as diversas possibilidades de movimentação, improvisando a partir do estímulo das formas e cores.

Nesse sentido, a improvisação se conecta ao jogo e amplia as noções corporais e espaciais, na medida em que proporciona o alargamento do repertório motor e possibilita a ampliação da consciência do corpo e da capacidade de criar por meio de uma intensa experimentação corporal (Almeida, 2016).

Na 11ª intervenção, mediamos um jogo coreográfico com algumas adaptações à proposta concebida pela estudiosa Lígia Tourinho (2007); a ideia era relembrar todos os conceitos experimentados ao longo do curso. Diz a autora: "O jogo coreográfico é um exercício sobre o ato de coreografar e ser coreografado, uma proposta pedagógica que envolve pressupostos e fundamentos estruturados a partir do diálogo, da concretização dos acasos, da tentativa de vivenciar o aqui e agora" (p. 1). Delimitamos a quadra com giz e explicamos a atividade:

1. as crianças/jogadoras foram identificadas por personagens que elas mesmas escolheram; tais personagens foram compostos com tecidos, máscaras, chapéus e demais acessórios, que levamos;
2. falamos sobre o espaço da cena e o do público, sendo que as crianças só poderiam ocupar a cena quando fossem solicitadas;
3. frisamos a importância do silêncio para que todas pudessem ouvir as indicações da coreógrafa;
4. decidimos juntas/os as seguintes regras: caminhar pelo espaço de diferentes formas, usar movimentos cotidianos e ações corporais, explorar os níveis, os apoios, os movimentos circulares e a pausa e interagir com as e os colegas.

Nessa ocasião, notamos que, além de oferecer uma vivência prazerosa e propiciar a fruição da dança, o jogo foi uma estratégia interessante para incentivar a participação de todas/os e ajudá-las/os a lidar com as regras.

Não podemos esquecer que apesar de lúdico e, por isso, geralmente esta experiência gera divertimento aos participantes, este é um jogo sério que tem como finalidade o exercício da arte da coreografia, ou seja, o exercício da dança, o exercício cênico de comunicar algo a alguém. É importante ressaltar que este jogo possui regras e princípios estruturais e que as funções dos jogadores são parte dessas regras e princípios. (Tourinho, 2007, p. 3)

No encontro 12, apresentamos um livro confeccionado pela pesquisadora *b-girl* especialmente para o momento, pensando no prazer que a garotada tinha pela contação de histórias. Ele trazia um breve contexto do *hip-hop* e seus elementos, tendo as próprias crianças participantes da pesquisa como protagonistas do conto. Além disso, era totalmente ilustrado, o que facilitou a compreensão desses elementos.

Colocamos ao final do livro uma foto de cada menina e menino a fim de frisar quais foram os personagens centrais desse processo. E, para completar, levamos o nome de cada um/a em formato de grafite para que colorissem com tinta.

Para finalizar, no último dia, convidamos uma *b-girl* para se apresentar às crianças e, na sequência, realizar uma roda de encerramento com elas. A dançarina começou trabalhando com uma pequena coreografia na qual as crianças imitavam seus passos, destacando a musicalidade/ritmo e o *feeling* como aspectos importantes nessa estética de dança. Já na roda, destacaram-se outras características, como o improviso e a energia.

Realizamos nossa última conversa mencionando as dificuldades encontradas e os aprendizados e percepções obtidos no processo.

CENAS DO PRÓXIMO CAPÍTULO

Ao optar pela arte/dança/*breaking* e relacioná-los aos aspectos étnico-raciais, retomando o brincar na escola, esse trabalho foi nossa forma de resistir contra um sistema que quer erradicar o ensino público, silenciar o pensamento crítico e censurar a pouca liberdade de movimento e expressão que o aluno tem na maioria das instituições de ensino.

Ao longo desse percurso, falamos sobre identidade e ouvimos as crianças em suas necessidades, curiosidades, (des)gostos e apontamentos. Notamos mudanças de comportamento que resultaram num maior relacionamento com as demais pessoas envolvidas no projeto, uma vez que estavam sempre alegres e dispostas com as aulas – além de terem dançado muito e com prazer. Nesse sentido, identificamos o lúdico como estratégia essencial para abordar o *breaking* com crianças. Observamos também modificações em relação ao reconhecimento da cor negra e dos cabelos enrolados, as quais se refletiram no modo de realizar os desenhos e em comentários paralelos entre a meninada.

Encerramos este texto com a esperança de contribuir para a formação de muitas outras crianças e para a prática educativa de professoras em todo o Brasil.

5. DANÇA, CRIANÇA E TECNOLOGIA: A INTEGRAÇÃO DE LINGUAGENS NO CONTEXTO EDUCATIVO[1]

Deyzylany Ferreira Neves
Fernanda de Souza Almeida

PRÉ-PRODUÇÃO: SELECIONANDO OS/AS ATORES/ ATRIZES, O LOCAL E OS EQUIPAMENTOS

Ao longo da experiência docente na área da dança em instituições de ensino formal, foi possível observar uma considerável redução da participação de jovens nas aulas dessa linguagem artística. A fim de entender os fatores que levam as e os discentes do ensino fundamental ao (des)interesse pelo ensino da dança, decidiu-se por ouvi-las/os.

Fato interessante foi ter descoberto que parte significativa desse público opta por se encontrar fora do turno regular, por conta própria, para escutar e dançar ao ritmo de suas preferências musicais, como *funk*, *rap*, tecnobrega, *hip-hop*, forró, sertanejo e *K-pop*, e suas coreografias disponíveis nos canais de mídia digital. Notadamente, tais discentes preferem justamente os estilos musicais/coreográficos evitados pela gestão institucional, sobretudo no âmbito da dança, por serem gêneros considerados de alto teor ideológico e propagados pelas mídias sociais.

A esse respeito, Lucia Santaella (2005) denuncia a inaptidão e, por que não, o descuido e a indiferença do espaço educativo formal em criar e estabelecer alianças com os grandes meios de comunicação e com os saberes da rua para elaborar projetos híbridos que abracem os diferentes modos de ser, pensar, atuar, viver e elaborar o pensamento e as linguagens das diferentes pessoas envolvidas no processo educativo.

Não podemos desprezar o papel essencial das instituições de educação formal no que concerne ao compartilhamento do patrimônio cultural da humanidade, dos saberes construídos e de uma escuta das experiências tradicionais desenvolvidas no passado. Afinal, esses conhecimentos possibilitam ao ser humano uma apropriação de sentidos e significados para atuar de maneira concisa e consciente com vistas à transformação da (sua) realidade.

Contudo, em nosso século emerge a necessidade de dialogar, intercambiar, reler e expandir as fronteiras do conhecimento para concebermos uma educação que seja, de fato, inclusiva e motivadora e gere sentimento de pertencimento, proatividade e autonomia estudantil. Agir assim constitui uma aproximação genuína dos contextos reais das e dos estudantes e dos saberes extramuros institucionais, na tentativa de desenvolver abordagens diferentes, alicerçadas na realidade sociocultural do entorno.

A vivência ao longo dos anos com a dança no cotidiano educativo nos fez compreender que essa área do conhecimento é tratada, por vezes, de modo trivial, sem a devida importância, o que contribui para que o seu ensino não faça muito sentido para a juventude. Diante dessa percepção, passamos a refletir sobre a necessidade de diversificar as metodologias e práticas em dança nas instituições de educação formal, visando aguçar o interesse do alunado para esse universo da expressão artística, estética, poética e corporal.

Observamos que ferramentas como internet, *notebooks,* câmeras digitais, celulares, *tablets* e tantos outros recursos eletrônicos instigam as/os jovens a dar mais atenção ao que está sendo construído nas vivências educativas e favorecem o acesso, por exemplo, às danças que tanto as/os avivam. Hoje, as tecnologias da informação e comunicação (TIC) estão presentes nos mais diversos atos de nosso cotidiano, independentemente do grupo etário e das condições econômicas. E com as crianças de pouca idade se dá o mesmo.

Nesse sentido, muitas áreas da educação têm debatido como as TIC podem apresentar novos/outros caminhos metodológicos a serem utilizados nas instituições para facilitar/engajar o compartilhamento de saberes entre docentes e estudantes. A esse respeito, Bernadete Pereira (2016) disserta sobre a relevância do uso das TIC para atualizar o processo educativo. Entretanto, a autora alerta que "o uso das tecnologias de informação por si só não representa mudança pedagógica se for usada somente como suporte tecnológico para ilustrar a aula. O que se torna necessário é que ela seja utilizada como mediação da aprendizagem para que haja uma melhoria no processo ensino aprendizagem" (p. 1).

A autora aponta que as professoras precisam buscar informações sobre os recursos tecnológicos para que possam oferecer à classe estudantil um ensino motivador, visto que "não é a tecnologia em si que causa a aprendizagem, mas a maneira como o professor e os alunos interagem com ela" (*ibidem*, p. 16). Dessa maneira, o eixo central de reflexão incidiria sobre como aproveitar a potência das TIC nas propostas que envolvem o ensinar e aprender de docentes e discentes, para além dos modelos programáticos e da racionalidade técnica que, muitas vezes, permeiam as práticas educativas.

Cativadas por esse assunto e buscando investigar possibilidades metodológicas para abordar a dança nas instituições de educação formal por meio das TIC, idealizamos um subprojeto de pesquisa denominado "A dança, as crianças e as novas tecnologias", vinculado ao Dançarelando.

Nesse contexto de interlocução foi que iniciamos o questionamento acerca de como oportunizar a dança na educação infantil utilizando as TIC, uma vez que tais tecnologias já pertencem ao cotidiano da criançada desde tenra idade. Com isso, pressupôs-se que oferecer a dança em conexão com um uso criativo e permeado de sentidos dos recursos tecnológicos potencializaria o interesse da meninada por essa linguagem artística.

Dessa maneira, a investigação teve como objetivo identificar, elaborar, experimentar, refletir sobre o processo e revelar à comunidade acadêmica uma possibilidade de abordar a dança com crianças entre 4 e 5 anos de idade. O projeto foi levado a cabo em um CMEI da cidade de Goiânia (GO), tendo as TIC como eixo central dos procedimentos metodológicos.

Sobre isso, Bernadete Pereira (2016) revela que as professoras têm grande dificuldade de lidar com o universo tecnológico, sobretudo pela falta de formação e pelo receio diante do novo, além do pensamento de que a garotada ficará dispersa no momento da atividade, usando a internet apenas para fins pessoais.

Em vista disso, a autora afirma que o uso das TIC na prática pedagógica tem a potência de fomentar a autonomia, a proatividade e o protagonismo infantil na medida em que, juntas, docentes e crianças podem romper as posturas prescritivas tradicionais de abordagem dos temas. A utilização reflexiva e crítica das tecnologias também pode descentralizar o saber e as decisões, promovendo desafios, trocas, diálogos e parcerias entre todas as pessoas envolvidas no processo educativo.

Além disso, a mesma autora (Pereira, 2016) aponta que, após entrevista com algumas professoras, identificou que, apesar dos entraves e dificuldades, elas almejam dominar as tecnologias e ter novos/outros recursos disponíveis e proveitosos para suas práticas educativas. As docentes assumiram que as TIC são primordiais para incentivar o engajamento das crianças e adolescentes, porém relataram a necessidade de cursos práticos para aprender a lidar com elas no contexto da educação formal; afinal, as TIC estão em toda parte, e tanto docentes quanto discentes têm certa familiaridade na interação com os aplicativos no cotidiano.

Nesse sentido, este estudo se faz relevante para a formação docente à medida que apresenta uma possibilidade de abordagem da dança com meninas e meninos de pouca idade na interface com as TIC, instigando as professoras a buscar e construir estratégias metodológicas dançantes alinhadas às particularidades de cada espaço educativo, especialmente aquelas adaptadas à pequena infância (Faria, Demartini e Prado, 2009). Também é intenção deste escrito ressaltar como as TIC podem ser um recurso para diversificar as experiências em dança e oferecer às crianças outras formas de expressividade e comunicação corporal e visual, além de contribuir para novas reflexões sobre o atual processo de inclusão digital.

É de nosso conhecimento o desenvolvimento de inúmeras práticas educativas sensíveis e inovadoras envolvendo a dança e as crianças; contudo, há poucas ações sistematizadas, no formato acadêmico, disponíveis para consulta. Sobretudo quando se trata da interface entre dança, educação infantil e TIC, não foram encontradas publicações relacionadas diretamente ao tema.

Metodologicamente, o presente trabalho foi embasado no viés qualitativo com caráter de estudo de caso. A pesquisa qualitativa é um procedimento investigativo que valoriza o processo e não o produto. Nela, as pesquisadoras foram a campo para compreender/apreender o fenômeno a partir das particularidades das pessoas nele envolvidas e considerando todos os pontos de vista relevantes. Sobre esse modelo metodológico, Uwe Flick (2009, p. 25) afirma que

> [...] [a] subjetividade do pesquisador, bem como daqueles que estão sendo estudados, torna-se parte do processo de pesquisa. As reflexões dos pesquisadores sobre suas próprias atitudes e observações em campo, suas impressões, irritações, sentimentos etc. tornam-se dados de si mesmos, constituindo parte da interpretação, e são, portanto, documentadas em diários de pesquisa ou em protocolos de contexto.

Desse modo, o estudo foi elaborado no decorrer do seu fazer, com base nas diferentes percepções, relações, reflexões e ações que eram estabelecidas ao longo do seu desenvolvimento.

Nos primeiros contatos com a instituição, a diretora relatou o uso recorrente das tecnologias nas atividades pedagógicas e mencionou que uma das professoras do local estava trabalhando com gravações em vídeo das crianças para posterior apreciação.

Na sequência, antes de qualquer intervenção, acessamos a proposta curricular *Infâncias e crianças em cena – Por uma política de educação infantil para a rede municipal de educação de Goiânia* (Goiânia, 2014) e o projeto político-pedagógico (PPP) do CMEI, e realizamos algumas conversas com as professoras da instituição para ter mais conhecimento sobre o contexto do qual faríamos parte. Nesse processo, buscamos uma variedade de dados sobre a organização do CMEI e, principalmente, sobre como a prática da dança era ofertada na instituição.

A fotografia foi nossa principal forma de registro, documentação e reflexão ao longo de todo o projeto. No ambiente educativo, a fotografia fomenta a ampliação do olhar daquele que fotografa, sendo a foto reconhecida, nas palavras de Dirce Zan (2010, p. 2), como "reveladora de uma verdade interior, apresentando diferentes formas pelas quais os estudantes percebem a realidade escolar". Esse recurso tem sido utilizado amplamente nos campos de investigação, "fazendo ver aquilo que os pesquisadores não conseguiam registrar no cotidiano da pesquisa" (Gobbi, 2011, p. 1218).

O uso da fotografia em pesquisas nos espaços de educação formal oferece outras percepções e sentidos no momento da interpretação das informações, especialmente se os registros são efetuados pelas pessoas do próprio grupo investigado, pois indica o que precisa ser visto com mais detalhes, o que parece ser mais significativo (Zan, 2010). No caso do presente estudo, as próprias crianças com as quais convivemos registraram a maioria das fotos, participando ativamente da construção do conhecimento.

A possibilidade de utilização da fotografia como geração e exploração das informações fundamenta-se na abordagem da metodologia artística de pesquisa em educação. Olga Egas (2015, p. 3436) explica que as imagens fotográficas "descrevem, analisam e interpretam os processos e atividades educativas e artísticas; constituindo um meio de representação do conhecimento". Assim, o uso do foto-discurso é uma forma de análise de dados que busca selecionar as imagens que "falam" por si e têm a propriedade de revelar a quem as lê o que aconteceu durante o processo. Nesse momento não há texto, apenas uma legenda poética, uma vez que

> [...] as imagens fotográficas constroem argumentos, apresentam e discutem hipóteses e sustentam visualmente o desenvolvimento conceitual de uma investigação, formulando perguntas, descrevendo situações, defendendo posições éticas. Neste caso, a fotografia é usada para algo que somente ela pode oferecer. (*ibidem*, p. 3437)

Ademais, para que a utilização da fotografia seja profícua, é necessária uma articulação entre as linguagens escrita e visual, de forma que uma complemente e enriqueça a outra. A esse respeito, não explicamos ou anunciamos as imagens; tampouco há qualquer tipo de fechamento ou considerações apontadas por nós. O princípio dessa opção metodológica é permitir que a fotografia revele o que só ela tem para oferecer aos olhos de cada leitor/a. Entretanto, assumimos aqui as limitações ao movimento dançante infantil e às próprias dinâmicas experienciadas ao longo da pesquisa que a fotografia pode desvelar.

PRODUÇÃO: O ROTEIRO COMEÇA A GANHAR VIDA

A educação infantil, primeira etapa da educação básica, apresenta como proposta central a ampliação, diversificação, aprofundamento e complexificação do conhecimento das crianças entre 12 meses e 5 anos de idade por meio de atividades que envolvam as trocas sociais (Goiânia, 2014). Nesse processo de acesso, interação, transmissão, produção e (res)significação dos saberes, as inúmeras linguagens – oral, sonora, escrita, corporal, artística etc. – são utilizadas de maneira indissociada. Em especial, as linguagens artísticas destacam-se como formas de ser, perceber, estar e atuar no meio, revelando-se fundamentais para compor o cotidiano e a ação pedagógica nas instituições que atendem essa gente de pouca idade.

Na educação infantil, a arte necessita ocorrer de forma agradável, divertida, integrada, abrangente e enriquecedora, impulsionando as experiências sensíveis-estéticas, uma vez que as crianças "são novidadeiras, inventam modas, criam mundos e fundos; brincam com tudo que está à sua volta, mexem, pegam, puxam, experimentam, montam e desmontam, acham graça das coisas; fantasiam, viajam na imaginação, elaboram formas, buscam e inventam cores" (Ostetto, 2011, p. 2). A garotada faz poemas com as palavras, com os objetos e com o corpo inteiro, pois pensa metaforicamente e expressa seus saberes por meio das linguagens presentes na cultura na qual estão inseridas/os. Todavia,

[...] no âmbito da educação infantil, falamos em ampliação dos repertórios vivenciais e culturais das crianças como um dos objetivos a serem conquistados, assim como na necessidade de um trabalho que considere as múltiplas linguagens da infância. Porém, o que temos presenciado é a simplificação e o empobrecimento da "arte" em uma versão escolarizada, encerrada no fazer e visando a um produto, colocando em ação "o mesmo para todos", "sigam o modelo", "é assim que se faz". Na educação infantil, frequentemente, a arte mostra-se com a roupagem de um conteúdo a ser ensinado em determinados momentos ou um conjunto de técnicas e instruções para o exercício de habilidades específicas. (*ibidem*, p. 5)

Com a dança não é diferente. Sua linguagem permite que as crianças se expressem, se conheçam, criem e interajam com o corpo da maneira que mais lhes for cabível, desde que não seja uma "receita de bolo", com modelos prontos e "corretos". Segundo Fernanda Boff (2017), a dança não precisa sempre se enquadrar em um estilo determinado, pois as possibilidades são infinitas e cada um pode criar movimentos próprios e decidir o que vale ou não vale como dança. Dessa forma, a "dança pode ser o que você quiser, mas não pode ser qualquer coisa" (p. 46).

Nesse contexto, Fernanda Almeida (2013, p. 34) ressalta que

[...] a dança com a educação infantil necessita estimular a descoberta, e não a padronização; a improvisação, e não a repetição de movimentos previamente determinados. Uma dança que não aprisione o movimento, mas liberte a imaginação, a criatividade e a expressão; que germine das ações básicas do cotidiano e suas combinações (andar, girar, saltar, parar, torcer, dobrar), almejando um conhecimento amplo das possibilidades de movimento, do espaço e da consciência corporal. E, por fim, que possibilite o brincar com o corpo, conhecer-se, conhecer o outro e o meio que o cerca.

Assim, assumir a dança como área de conhecimento, patrimônio cultural da humanidade e linguagem artística é conceber que ela carrega um conjunto de elementos/signos próprios – conteúdos que envolvem aspectos e estruturas do movimento – que permitem a comunicação por meio do corpo com significados diversos, os quais precisam ser experimentados e compreendidos ao longo do processo educativo (Boff, 2017).

Nesse sentido, embasamo-nos na sistematização proposta por Fernanda Almeida (2016), que organiza os elementos fundantes da dança com a educação infantil do seguinte modo:

- *corpo* (ações corporais; deslocamento e imobilidade; ênfase nas partes do corpo; liderar o movimento com uma parte do corpo; partes em contato; contato e improvisação e estrutura corporal);
- *movimento expressivo* (peso; tônus; apoios; equilíbrio; postura);
- *espaço* (espaço amplo; espaço social; cinesfera[2]; direções; níveis; planos; tensões espaciais; projeção; distância; forma; progressão no espaço); e
- *ritmo* (tempo e percepção rítmica).

Dada a consonância com nossas observações, também nos apoiamos em outra obra de Fernanda Almeida (2018) para elencar possíveis estratégias de abordagem da dança com a criançada, sendo elas o lúdico, a interação social, a improvisação, a apreciação estética e as TIC (objeto central do trabalho).[3]

Tendo isso em mente, nossos encontros foram inundados de faz de conta, risos e imersões em vivências de criação, recriação, combinação, composição e experimentação de gestualidades diversas, bem como do exercício de observar, ouvir, sentir e conversar, que fomentaram

[...] dançar em duplas, trios, pequenos e grandes grupos, possibilitando a oposição, apreciação, imitação e a elaboração de ações coletivas. Tais atividades podem ser estimuladas, por exemplo, por meio de jogos e improvisações temáticas, nas quais a criança pode dançar, 'seguindo o mestre', explorar movimentos em um nível do espaço oposto ao seu parceiro ou combinar como irão organizar a posição dos materiais de aula para vivenciar as tensões espaciais. (Almeida, 2013, p. 45)

Nesse sentido, a interface entre a dança e as TIC baseou-se no ensejo de interligar e ampliar os espaços de conhecimento como pontes para uma educação digital que valorize, de maneira igualitária, as diferentes formas de pensar, agir e viver das pessoas envolvidas no processo educativo, destacando a beleza do singular e do heterogêneo, para viabilizar outras formas de compartilhar o saber na convivência e na colaboração.

A relação entre tecnologia e dança, contudo, não é tão recente quanto parece, uma vez que, como observa Regina Pinheiro (2002), desde o surgimento da fotografia, do cinema, da televisão e do computador a dança sofreu influências que modificaram a conexão de artistas com o espaço e o tempo. Nesse sentido, o corpo influenciado pela tecnologia teria, segundo José Romero e Ítalo Faria (2016), a capacidade de abrir um leque de possibilidades culturais, políticas e estéticas para pensar a dança e o corpo como mediadores de informações.

Desse modo, como aponta Alessandra Bittencourt (2005), o elo entre tecnologia e dança na educação formal talvez

> [...] possa estar não só na rede, mas nos celulares com jogos educativos; na internet para aulas *on-line*; nos *games*, utilizando-se sensores, fazendo as crianças (re)inventarem o movimento; em *softwares* 3D de anatomia, fisiologia, cinesiologia e biodinâmica e, quem sabe, seja possível dançar com holografias, além de outras atividades. (p. 8)

A esse respeito, com meninas e meninos de pouca idade,

> [...] conforme estabelecido pelas Diretrizes Curriculares Nacionais para a Educação Infantil, a aproximação com as multimídias garante o direito das crianças ao acesso e uso dos diferentes recursos tecnológicos e midiáticos, amplia suas possibilidades de expressão. Desta forma, um dos papéis das educadoras e dos educadores é o de potencializar a produção de culturas infantis, que tenham a escuta apurada e sensível na gestão do seu cotidiano com as crianças e sejam defensores das várias formas de ser criança e viver as infâncias. (Goiânia, 2014, p. 23)

Entretanto, as mídias, caracterizadas de modo geral pelos meios de comunicação de massa, têm alta capacidade de sedução e, ao apresentarem valores, padrões sociais, condutas e comportamentos, podem tornar-se poderosos instrumentos de convencimento. Com isso, segundo Adalton Ozaki e Eduardo Vasconcellos (2008), é fundamental que as e os docentes saibam (re)conhecer tais influências para enfrentar o desafio de desenvolver o discernimento da meninada, evitando, por exemplo, a atribuição de um *tablet* apenas para que se aquietem e se distraiam. Assim como qualquer outra estratégia, exige planejamento, critério e criticidade para que seja possível trabalhar adequadamente e de forma positiva.

As tecnologias são recursos que oferecem muitas possibilidades de pensar a arte por meio do movimento do corpo. A filmadora pode ser uma forma de registro do processo de criação, bem como um meio de retomada de encontros já ocorridos. Já a fotografia pode ser usada em uma atividade sobre pausa e movimento ou apreciação estética. Também podemos usá-la para estimular a produção coreográfica, a improvisação ou exemplificar algo sobre a vivência que está sendo proposta; além disso, a professora pode abordar e diferenciar o uso dos diversos planos e angulações fotográficos.

A fotografia e o vídeo, juntos, instigam ainda mais um outro olhar, mais sensibilizado, para captar nuances que poderiam passar despercebidas no momento da prática dançante, além de ser recursos que cativam a criançada por provocar a curiosidade. Como apontam Marli Ramos e Neusa Coppola (2009), fotografia e vídeo são vistos como uma

> [...] forma de comunicação, adaptada à sensibilidade principalmente das crianças e dos jovens. As crianças adoram fazer vídeo e a escola precisa incentivar o máximo possível a produção de pesquisas em vídeo pelos alunos. A produção em vídeo tem uma dimensão moderna, lúdica. Moderna, como um meio contemporâneo e que integra linguagens. Lúdica, pela miniaturização da câmera, que permite brincar com a realidade, levá-la para qualquer lugar. Filmar é uma das experiências mais envolventes tanto para as crianças como para os adultos. (p. 4)

A internet, por sua vez, pode ser utilizada como uma ponte entre a instituição e a sociedade, proporcionando uma interação proativa e divertida entre as pessoas envolvidas no processo educativo. Por meio dela, as professoras e as crianças procuram músicas, vídeos e imagens relacionadas aos projetos de dança, seja em tempo real ou antes das vivências, usando-a para baixar arquivos que serão vistos posteriormente.

Já o *datashow* permite a associação entre diversas mídias e recursos tecnológicos simultaneamente, uma vez que integra imagem, luz, som, texto e movimento. De acordo com José Carlos Antonio (2011), esse recurso conta com variadas formas de utilização na escola para além de uma TV de tela gigante, uma vez que, com a parceria do computador e da internet, promove-se a montagem ou edição de vídeos, sons e imagens em tempo real, com a participação das crianças. O mesmo autor explica que as e os docentes poderão promover visitas com a garotada a um museu mesmo sem sair da sala, usando aplicativos que permitem andar pelas ruas como se nelas de fato estivessem.

Na abordagem da dança, o *datashow* pode servir para projetar vídeos ou fotos, tanto para apreciação como para dançar com as imagens ou com as sombras do próprio corpo, enfatizando a forma, o contorno e os tamanhos corporais.

Por fim, os celulares e *tablets*, considerados verdadeiras centrais de multimídia computadorizada, com seus aplicativos que gravam áudios, produzem e editam vídeos, tiram fotos, oferecem filtros de cor, desenhos, entre outras tantas alternativas, podem abarcar diversas possibilidades metodológicas nas atividades com as crianças (Antonio, 2010). A esse respeito,

> [...] alguns professores se queixam que os telefones celulares distraem os alunos. É verdade. Mas antes dos telefones celulares eles também se distraíam. A única diferença é que se distraíam com outras coisas; como, aliás, continuam fazendo nas escolas onde os telefones celulares foram proibidos. O que causa a distração nos alunos é o desinteresse pela aula e não a existência pura e simples de um telefone celular. (p. 3)

Logo, é interessante estimular as crianças a utilizar a tecnologia no sentido de que elas ensinem umas às outras, aproveitando para aprender junto.

Na prática, ao ofertar vivências dançantes é possível usar o celular para diversas finalidades, como filmar as crianças dançando para que possam se observar em vídeo; utilizá-lo como gravador de áudio para registrá-las cantando e depois usar a gravação para que dancem ouvindo a própria voz; e sugerir que filmem as/os colegas com o intuito de instigá-las a ter um olhar artístico para o registro do movimento.

A partir dessa exposição, nota-se que as TIC proporcionam uma infinidade de possibilidades metodológicas com abordagens interdisciplinares, fomentando práticas educativas dinâmicas, participativas e inovadoras na perspectiva das múltiplas linguagens – visual, auditiva e corporal – integradas a imagens, textos e vídeos, entre outros. O limite para o uso da tecnologia só depende do limite da criatividade das/os docentes.

PRODUÇÃO: COLOCANDO AS MÁQUINAS PARA FUNCIONAR

Os encontros dançantes aconteceram uma vez por semana, ao longo de dez quartas-feiras, com duração de 40/50 minutos cada, para duas turmas de 20 crianças, sendo uma delas composta de crianças de 4 anos de idade e a outra, de crianças de 5 anos.

Antes de iniciar as vivências, foram feitas observações a fim de conhecer melhor a meninada, explicar nossa presença no espaço educativo, saber se elas concordavam em participar do projeto e se poderíamos filmá-las e fotografá-las. Também se buscou interagir com o cotidiano e estreitar as relações pessoais com os membros adultos da instituição.

Nesse período de reconhecimento do local, verificou-se que a turma de crianças de 4 anos estudava as cirandas do Brasil e a turma de crianças de 5 anos pesquisava as máscaras da África. Com base nessas informações, estabelecemos os eixos do projeto de dança, que abordaria as partes do corpo, danças de roda e arte africana. A ideia de trabalhar as partes do corpo surgiu após uma professora ter-nos dito que a criançada tinha dificuldade de discerni-las e nomeá-las. Identificamos tal aspecto como uma potência para iniciar a mediação da dança a partir do elemento "corpo" (Almeida, 2016; 2018). Além disso, o tema central do projeto pedagógico da instituição em que estávamos inseridas era artes, o que justificou a escolha das máscaras africanas e cirandas.

Para o trabalho com a temática sobre África recorremos a Débora da Cunha (2016), que apresenta em seu livro cantos, brincadeiras, contos, jogos de dança, coreografias e jogos de audição, entre outros, na perspectiva de valorizar a cultura afro-brasileira e dialogar com a necessidade de "pensar a prática escolar como uma prática contextualizada, preenchida de sentidos e significados que se originam na vida de alunos e professores em suas relações com o mundo que os faz sujeitos" (p. 3).

Almejando entrelaçar os três eixos mencionados – partes do corpo, danças de roda e arte africana – com as TIC, mais os elementos e estratégias da dança (Almeida, 2016; 2018), elaboramos o plano de ação intitulado "Câmera e dança: criança em ação".

Os caminhos metodológicos adotados ao longo do processo fizeram que optássemos por agrupar as práticas educativas por tecnologia, como pode ser visto a seguir.

Vídeo

A primeira vivência[4] com o vídeo foi a apreciação de crianças africanas dançando. Buscamos referências de brincadeiras e cantos africanos no intuito de apresentar à criançada outras possibilidades de movimentação do corpo. Na filmagem a que assistimos, a garotada dançarina usava diversos movimentos dos braços, pernas e cabeça, conectando, assim, a dança com seu aspecto partes do corpo (Almeida, 2016). Dessa maneira, visamos sensibilizar aquela gente miúda, ensejando fomentar seu interesse e sua motivação para a dança. Utilizamos também o *datashow* para obter uma melhor visualização do vídeo.

Durante a exibição, perguntamos às crianças se elas conseguiam notar algo diferente na dança em questão e pedimos que nos contassem o que mais lhes chamava a atenção no vídeo. A meninada comentou os movimentos de pernas, braços e cabeça, e disse que queria aprender a dançar daquele jeito. Com base nas respostas, propusemos que experimentassem, no próprio corpo, os gestos observados. Além disso, elaboramos, em conjunto com as crianças, uma sequência coreográfica composta de quatro movimentos.

Assim, por meio da imitação do vídeo, a garotada pôde reelaborar os gestos à sua maneira, trocar entre si suas descobertas e combinar conosco os movimentos que pertenceriam à composição coreográfica. Tal estratégia serviu de referência para a apreensão, investigação e combinação de outros movimentos. Ademais, Fernanda Almeida (2016) menciona que a apreciação estética pode ampliar o repertório e o universo cultural das crianças, bem como estimular a capacidade de observação e compreensão da proposta que está sendo mediada – nesse caso, a dança africana.

Na turma composta por crianças de 5 anos, percebemos certa resistência diante da improvisação: notamos que, por receio de errar, anseio de executar "corretamente" os movimentos ou medo de "infringir" as normas disciplinares educativas, muitas delas ficaram tímidas ao investigar e criar com o próprio corpo. Nesse sentido, o vídeo as provocou e auxiliou a entrar em contato com diferentes formas de dançar, oferecendo ideias de movimentos que poderiam compor suas danças.

Para além da contenção corporal que permeia intensamente os diferentes ambientes educativos, ressaltamos que nem toda as crianças são "espontâneas" e desinibidas como imaginamos. É comum propormos atividades de socialização e/ou que envolvem algum tipo de exposição e uma ou outra criança se recusar a realizar a proposta, permanecendo na atividade apenas como espectadora. Assim, acolher, respeitar e criar estratégias particulares para a ocasião, sem pressionar ou expor ainda mais a criança, são caminhos indicados.

Também recorremos ao vídeo para apreciar videodanças[5] que, além de destacarem partes do corpo no ato de dançar, valiam-se de outras formas de usar a câmera e seus planos – aberto, médio e fechado –, e também de angulações e distâncias diversas. Diante disso, a cada exibição perguntávamos se as crianças conseguiam identificar os planos e os ângulos utilizados, chamando a atenção para que compreendessem que o ato de fotografar e o de filmar não consistem apenas em apertar o botão de uma máquina.

Antes de trabalharmos com tais equipamentos eletrônicos, abordamos alguns conceitos de planos e angulações, valendo-nos de cartões de papel recortados que simulavam uma tela fotográfica/filmadora, como pode ser observado nas imagens a seguir.

Experimentando os planos da câmera no papel

Dadas as explicações iniciais acerca da utilização dos equipamentos eletrônicos, organizamos a criançada em dois grupos. O primeiro teve o desafio de dançar seguindo as regras de um jogo por nós proposto. O segundo ficou responsável por filmar quem dançava a fim de experimentar diversas possibilidades de captação da imagem, diversificando angulações, alturas e posicionamentos de câmera.

Nessa vivência, empregamos os seguintes elementos da dança: a adaptação ao espaço, os ritmos rápido e lento e a pausa (Almeida, 2016), juntamente com músicas e brincadeiras africanas (Cunha, 2016).

Destacamos que, ao propor essa atividade, tivemos o cuidado de acompanhar de perto as crianças e auxiliá-las no manejo dos aparelhos tecnológicos. Nosso objetivo foi que as crianças experimentassem a câmera de maneira produtiva e criativa, na tentativa de evitar que desviassem o foco para interesses pessoais. Isso posto, avaliamos que o uso do vídeo, nos diversos encontros que tivemos, foi bastante satisfatório.

Tal sequência, que começou pela utilização dos cartões de papel e seguiu para as câmeras com efetivas gravações, se apresentou tão versátil que foi ofertada posteriormente a alunas/os de diferentes idades, inclusive em um grupo adulto e de maneira virtual. Ao trabalhar na educação remota com vivências síncronas, exploramos as possibilidades das telas, do computador em que assistiam e do aparelho que as filmava, inspiradas nos elementos da videodança ao destacar partes do corpo no ato de dançar e suas relações com as angulações, posições, profundidades e distâncias diversas.

Retomando a descrição do projeto, sublinhamos apenas a necessidade de as docentes se atentarem à duração, dinâmica e qualidade dos vídeos para apreciação, em função do tempo de concentração e interesse das crianças.

Datashow

Recorremos ao *datashow* para projetar videodanças, videoclipes, imagens de estátuas africanas, fotos tiradas pelas próprias crianças, filmagens feitas por nós durante os encontros e, principalmente, projetar sombras na parede para incentivar a percepção da criançada quanto às formas e aos contornos do corpo ao dançar.

Em um dos encontros, usamos a videodança intitulada "Em outro pé", da Balangandança Cia., para que aquela gente miúda visualizasse os movimentos com os pés em diferentes planos, angulações e velocidades. Tal videodança serviu de referência para que as crianças notassem as diversas possibilidades de dançar tendo como foco apenas os pés, bem como as variadas formas de filmar essa parte do corpo: de lado, por cima, por baixo, entre outros.

Com base nisso, propusemos o jogo dos pés (Cunha, 2016) – associado às experimentações de intervenções anteriores –, no qual, para jogar, as crianças precisariam elaborar movimentos combinados entre vídeo e vivências dançantes. Na sequência, sugerimos que imitassem os gestos criados pelas/os colegas, com a intenção de que interagissem e compreendessem a importância do trabalho coletivo para a criação em dança.

Em outra ocasião, usamos o *datashow* para projetar imagens de estátuas da arte africana, obtidas na internet. Então, solicitamos que as crianças imitassem as cinco figuras que mais lhes chamaram a atenção e trocassem de uma pose a outra a fim de gerar movimento e pausa. Propusemos, também, que a meninada imaginasse as estátuas dançando e as representasse variando o ritmo (rápido, lento e a pausa), as ações básicas do esforço de Laban (pontuar, deslizar, empurrar, sacudir, flutuar) e os apoios (Almeida, 2016; 2018).

Em seguida, aproveitamos a luz do *datashow* para que experimentassem esses movimentos a partir da sombra refletida na parede. Separamos a criançada em pequenos grupos: enquanto um grupo dançava, o outro assistia, invertendo-se os papéis ao longo de nosso encontro. Nossa intenção foi fomentar a apreciação estética, a interação, a improvisação e a combinação das múltiplas linguagens.

As ações praticadas nesse contexto foram interessantes porque as meninas e os meninos se apropriaram dos movimentos e das variadas formas de desenho corporal apresentadas nos vídeos, brincadeiras, imagens e imitações para a criação das próprias danças.

Brincando com as sombras

Câmera fotográfica: fotos digitais

Nos dias em que optamos por experimentar possíveis aproximações com a fotografia para dançar com essa gente de pouca idade, usamos os aspectos da cinesfera (máxima e mínima expansão do movimento) e o equilíbrio estático e dinâmico (Almeida, 2016) como eixo central de ação. Para tanto, deu-se continuidade aos movimentos de imitação das estátuas da arte africana. A proposta foi que metade do grupo tirasse fotos das experimentações da outra metade, uma vez que todos já estavam familiarizados com os planos de captura de imagens.

Finalizamos esse encontro mostrando às crianças, por meio do *datashow*, as imagens feitas por elas mesmas. Conversou-se acerca de nitidez, enquadramento e outros elementos que apareceram nas fotos. Nossa conversa foi respaldada por Márcia Gobbi (2011), que vê a fotografia como um recurso que educa, constrói e reconstrói realidades, constituindo "[...] um elemento que possibilita a compreensão da linguagem das crianças, daquilo que elas nos dizem, mesmo sem o uso de palavras. Podemos dizer que o ponto de partida desse instrumento metodológico é a interação entre as pesquisadoras e as crianças" (p. 4).

A experiência desse dia foi edificante, sobretudo porque, inicialmente, não tínhamos atentado para o fato de que poderíamos associar o recurso tecnológico da fotografia às vivências dançantes. A ideia veio ao longo do processo e da escuta dos comentários infantis. Assim, percebemos as inúmeras possibilidades que a fotografia poderia proporcionar ao projeto, por ser uma ação criativa, atraente, divertida e interativa. Aqui ficou evidente nossa maneira de nos colocar em relação, de assumir o imprevisto, o não dito e as especificidades de cada grupo de crianças, acolhendo o inesperado como elemento estruturante e possibilitador de uma construção coletiva: uma abertura à escuta, às interlocuções e oportunidades que surgem ao longo do processo educativo.

Empregamos a fotografia, também, como estratégia de organização das atividades numa ocasião em que a garotada demostrava uma agitação que beirava o desrespeito com outras pessoas e materiais da instituição. No meio da proposta, falamos energicamente "estátua!" e pedimos que respirassem bem fundo algumas vezes, enquanto fotografaríamos a turma toda e cada pose. Calmamente, fomos registrando cada estátua, sempre relembrando-as de respirar para que obtivéssemos "boas" fotos, até percebermos as crianças mais tranquilas.

Celular

Como esse dispositivo comporta em si inúmeros aplicativos, realizamos diversas ações com ele. Filmamos e fotografamos as crianças dançando, assim como as próprias crianças filmaram e fotografaram as/os colegas em movimento, aplicando filtros, efeitos artísticos, planos, angulações, tons e saturação de cor, brilho e contrastes da luz no momento de captação das imagens.

Vale destacar a experiência obtida quando utilizamos o gravador de áudio. Inicialmente, apresentamos um jogo infantil africano denominado *Si Mama Kaa*, que associa um canto em suaíle – um dos idiomas da Tanzânia – ao ato de andar de maneiras diferentes (Cunha, 2016). As crianças e nós aprendemos a letra da música, gravamos a nossa cantoria, ouvimo-nos cantando e dançamos ao som do áudio produzido pelo coletivo.

Observamos a imensa alegria e emoção nítidas no rosto das meninas e dos meninos ao se escutarem cantando, o que nos deixou profundamente sensibilizadas. Algo curioso nessa ocasião foi o fato de as crianças quererem nos ensinar a manusear o celular. Foram recorrentes comentários do tipo: "Professora, eu já sabia disso"; "Ah, isso é muito fácil"; "É simples, aperta aqui" – o que demonstra a frequente inserção das crianças nos ambientes virtuais e na apropriação das diversas tecnologias.

Internet

Segundo Marli Ramos e Neusa Coppola (2009), as instituições de educação formal precisam compreender e incorporar, de maneira inovadora, a internet no dia a dia educativo. Afinal, trata-se de ótima fonte de pesquisa e de estratégias para a construção do conhecimento, oferecendo maior subsídio para uma nova/outra postura na ação docente.

Em nossos encontros no CMEI, recorremos à internet diversas vezes para buscar vídeos, brincadeiras africanas, imagens, artigos científicos e, claro, adquirir conhecimento sobre as TIC no contexto da dança. Perguntamos a outras/os docentes de dança se haviam utilizado alguma tecnologia para abordar a dança com crianças pequenas, trocamos experiências, inquietações e frustrações com diferentes pessoas, de diferentes lugares do Brasil. Formamos redes, criamos vínculos e encontramos um modo de estabelecer relações e parcerias por meio da tecnologia.

Contudo, a internet ainda precisa ser reconhecida e incorporada como elemento pedagógico por parte das instituições de ensino formal. Tais espaços necessitam atentar para o amplo papel das TIC na (re)elaboração de conhecimentos no modo de as/os professoras/es potencializarem e mediarem a relação tecnologia-criança-projeto pedagógico para, assim, expandir e diversificar a própria prática educativa.

Embora as crianças tenham nascido na era digital e precocemente consigam manusear recursos tecnológicos como um celular, é preciso levar em consideração o imenso volume de dados em circulação. Diante dos inúmeros materiais, nós e as crianças necessitamos (re) aprender a encontrar, selecionar, avaliar e organizar as múltiplas informações. A qualidade da aprendizagem em tempos digitais requer orientação, colaboração e partilha (Ozaki e Vasconcellos,

2008) para que as crianças deixem de ser tratadas como receptoras passivas das informações e passem a ser concebidas como autoras, cocriadoras, avaliadoras e comentadoras críticas no espaço educativo.

Em nosso processo de reaprender a manusear os recursos tecnológicos para esse projeto de dança, buscamos referências sobre diversos aplicativos de cunho interativo a ser oferecidos no contexto educativo, optando, entre outros, pelo *Musical.ly* (atual *TikTok*). Por meio de tal recurso, mostramos às crianças dois vídeos com diferentes velocidades – rápida e lenta – para que elas visualizassem uma das possibilidades que esse aplicativo dava ao ato de dançar. Conversamos sobre aspectos estéticos e artísticos, tanto dos vídeos como das danças, incentivando suas criações e autorias, tanto na captação de imagens como no dançar.

Em seguida, relembramos o que foi visto acerca das gestualidades e de outros elementos da dança abordados em encontros anteriores. Rememoramos, sobretudo, o que foi visto em relação a níveis, cinesfera, ritmo, ações básicas do esforço e apoios. Organizamos a garotada em grupos para que elas articulassem entre si quem filmaria e quem dançaria; pedimos que escolhessem uma música e iniciamos as experimentações.

Foto-discurso

Neste tópico, apresentaremos fotos que revelam o percurso de nosso trabalho como um todo e como as imagens *falam* por si. Assim, propomos que as/os leitoras/es façam as próprias análises das imagens.

Foto tirada por uma criança do grupo (2018)

Dança em ação

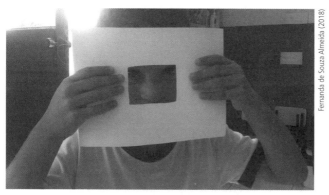

Um quadro e um olhar transformado

Cultivar cultura

Uma visão tecnologicamente dançante

FERNANDA DE SOUZA ALMEIDA (ORG.)

PÓS-PRODUÇÃO: REVISÃO E EDIÇÃO
PARA A MAGIA ACONTECER

(Re)analisando o material gerado durante a pesquisa, observamos que é possível empregar as TIC de diferentes modos para oferecer diversas vivências em dança e, assim, promover o engajamento da criançada nas propostas. No início de nossas intervenções, deparamos com meninas e meninos que não queriam participar das atividades programadas; todavia, ao longo do processo o interesse das crianças menos participativas foi sendo despertado pela curiosidade quanto ao uso dos recursos tecnológicos.

Em especial, destacamos os recursos utilizados para fins de apreciação estética como um dos motores para que elas dançassem, pois, ao verem a si mesmas e às outras crianças e pessoas adultas dançando, obtiveram referências, enriquecendo seu repertório de movimento para compor suas danças. Isso demonstra que

> "[...] as TIC permitem que hoje a informação seja facilmente captada, armazenada, processada, copiada, enviada e disponibilizada de forma digital. As tecnologias digitais é que tornam viável a convivência, manipulação, localização e usufruto dessa enorme quantidade de informação hoje existente". (Ozaki e Vasconcellos, 2008, p. 8)

O problema consiste, muitas vezes, em não saber como mediar as TIC com as crianças pequenas ou mesmo em subestimar sua capacidade de manusear um recurso tecnológico e/ou de ter responsabilidade. No caso do trabalho com a dança, as TIC podem ser uma potência para a criação, expressão e transformação artística, tornando-se uma ponte entre o mundo virtual e o real.

Com esse estudo, verificamos que seriam necessários mais encontros para que as crianças de fato se apropriassem das tecnologias e as utilizassem de maneira mais criativa, híbrida e sensível para elaborar as próprias danças. Avaliamos que o processo, como um todo, foi significativo e enriquecedor – sobretudo para nós, uma vez que nos lançamos ao desconhecido, nos desafiamos, arriscamos, erramos, refletimos, reelaboramos e construímos conhecimentos de modo conjunto, na prática. Aprendemos a apreciar o percurso e a perceber que as grandes belezas da prática docente em dança se encontram nos detalhes, especialmente quando estamos com essa gente de pouca idade.

Por fim, apontamos que seria importante a produção de mais trabalhos que abarcassem o tema das artes africanas, por ser um assunto fundamental para discutir relações étnico-raciais, respeito, diversidade, interculturalidade e outros.

Existem infinitas possibilidades de abordagem da dança; entretanto, precisamos continuar descobrindo, experimentando, insistindo, resistindo e reexistindo para que a dança/arte permeie o cotidiano infantil de maneira criativa, sensível e transformadora.

6. PEQUENOS BRINCANTES DA EDUCAÇÃO INFANTIL: DANÇA E CULTURAS POPULARES BRASILEIRAS[1]

Fernanda de Souza Almeida
Andreza Lucena Minervino de Sá

COMIGO NÃO MORREU: PARTICIPANTES, LOCAL E REGRAS PARA A BRINCADEIRA COMEÇAR

Com o intuito de contribuir para a construção e ampliação do campo epistêmico da dança na educação da pequena infância, o Grupo de Pesquisa em Dança: Arte, Educação e Infância (GPDAEI), vinculado à licenciatura em Dança da Universidade Federal de Goiás (UFG), assumiu o desafio de ser explorador. Discentes, docentes e pesquisadoras dispostas a buscar o desconhecido, abertas à tentativa, ao risco, a indagar novas possibilidades, a reformular trajetórias e a escutar (com todos os sentidos) as pistas que as crianças oferecem a fim de encontrar caminhos próprios para abordar a dança na educação infantil.

Para tal, reconhecemo-nos como artistas que partem das próprias poéticas para favorecer e impulsionar a experiência estética-artística de outras pessoas (Cardona, 2012). Com isso, indagamos maneiras outras de dançar com a garotada, fomentando o nosso potencial criativo, transmutador, coletor, conector e combinativo para inventar propostas em dança que ampliassem a curiosidade, as opiniões e as ideias das meninas e meninos de pouca idade.

Concebemos os projetos de dança intimamente associados ao contexto (Almeida, 2018) e de modo que priorizassem a instalação de condições para a vivência da imaginação, inventividade e criação, a fim de que diversos saberes (nossos, das crianças e das/os profissionais de cada instituição) fossem dilatados.

Esse percurso desaguou em proposições dançantes multilinguageiras que dialogaram com tecnologias da informação e comunicação, contação de histórias, desenho, pintura, cinema, música, educação para as relações étnico-raciais e dança e as manifestações das culturas populares brasileiras – assunto deste capítulo.

A opção pelo tema decorreu do interesse da primeira autora, docente de dança na educação infantil por 14 anos e em disciplinas da graduação que versam sobre o estágio e as práticas e metodologias de ensino nessa linguagem artística em contextos educativos. Já para a segunda autora, deveu-se a seu contato desde a infância com os saberes próprios das culturas nordestinas – como o forró pé de serra, a quadrilha junina e a vaquejada –, potencializado por diversas disciplinas que transitam pelos caminhos artísticos e metodológicos das manifestações populares na dança.

Somada a isso está a iniciativa de nos aprofundarmos nos estudos de documentos nacionais, estaduais e municipais que norteiam a educação infantil. No contexto da cidade de Goiânia, especificamente, há os cadernos chamados *Saberes sobre a infância – A construção de uma política de educação infantil* (2004) e *Infâncias e crianças em cena – Por uma política de educação para a rede municipal de educação de Goiânia* (2014)[2]. Debruçamo-nos sobre tais documentos para verificar o papel da arte/dança e dos saberes tradicionais neles contidos.

Com base neles, julgamos pertinente apresentar sugestões sobre saberes de dança e culturas populares a ser oferecidos nas instituições que atendem as crianças pequenas. Ademais, as experiências práticas relatadas ao longo deste texto visam contribuir para a efetivação da linguagem da dança na educação, assim como favorecer a formação docente e possibilitar um maior entendimento de como as propostas da rede municipal de ensino de Goiânia podem permear a jornada educativa em relação à dança, servindo de inspiração para outros contextos brasileiros.

Por fim, ao buscarmos mais informações sobre as culturas populares na educação infantil, deparamos com os Parques Infantis (PIs) idealizados por Mário de Andrade[3] e implantados em 1935 na cidade de São Paulo. Segundo Ana Lúcia de Faria (1999), os PIs tinham o intuito de promover atividades educativas para crianças de 3 a 6 anos de idade, sendo seu foco a valorização das culturas brasileiras direcionada para essa gente pequena, de modo que atendesse às suas necessidades e curiosidades específicas. Nesse sentido, identificamos os escritos de Mário de Andrade como inspiração para essa investigação, uma vez que ele foi o primeiro idealizador de uma ação educativa que envolvesse crianças e culturas populares.

Diante do contexto apresentado, e amparadas pelo que versam os documentos federais, estaduais e municipais sobre uma educação cultural – especialmente sobre os conhecimentos produzidos historicamente e as diversas linguagens da arte, dentre elas a dança –, emergiu a problemática desta pesquisa, a saber: como desenvolver uma proposta em dança com meninas e meninos da educação infantil tendo como eixo central os saberes das culturas populares brasileiras?

Com tal questionamento, nos aventuramos em um estudo que objetivou elaborar e aplicar uma proposta de intervenção em dança com as crianças goianienses cujo cerne trouxesse a complexa trama de saberes das culturas populares brasileiras – o lúdico, o conto, a música, o ritmo, o movimento e a dramatização –, tendo como principal inspiração os Parques Infantis de Mário de Andrade.

Para tanto, buscamos a metodologia de pesquisa qualitativa, compreendendo que os estudos em educação são fluidos e dinâmicos por estarem situados em um contexto social particular e em constante mudança (André, 1995). Essas características se aproximaram deste trabalho, uma vez que investigamos a presença ou a ausência da arte/dança nas propostas pedagógicas para as instituições de educação infantil em Goiás. Em seguida, realizamos um paralelo com as proposições dos Parques Infantis no que tange à cultura e ao lúdico, refletimos sobre nossas experiências com as manifestações das culturas populares brasileiras e com a infância e observamos a comunidade escolar para que pudéssemos elaborar e realizar uma intervenção dançante com as crianças.

Além do mais, dado o papel propositivo, integrador e atuante desempenhado por nós, pesquisadoras, esse estudo teve caráter de pesquisa-ação (Thiollent, 1986), no sentido de buscar outras possibilidades para o fazer pedagógico para determinado grupo, refletindo sobre a própria prática educativa de maneira crítica e transformadora em associação com as/os participantes e em diálogo frequente com o embasamento teórico. Assim, este texto é o resultado do trabalho realizado com duas turmas de crianças de 4 anos de idade matriculadas em um Centro de Educação Infantil (CEI) conveniado à prefeitura de Goiânia, distribuído em 13 encontros, ofertados uma vez por semana, tendo entre 30 e 45 minutos de duração cada, durante um semestre letivo.

QUEM VAI BRINCAR, PÕE O DEDO AQUI: SELECIONANDO OS EIXOS DE AÇÃO DA PROPOSTA

Para a construção da proposta dançante, elencamos três eixos de ação, sem fragmentações nem ordenamentos, que dialogam intensamente entre si:

1. Fundamentos brincantes inspirados nos Parques Infantis de Mário de Andrade – consiste na pesquisa e na vivência das múltiplas linguagens, dos saberes das culturas tradicionais: jogos tradicionais infantis, rodas cantadas, cantigas, contos, rimas, adivinhas, parlendas, danças de roda e dramatizações.
2. Elementos da dança – utilização de recortes das sistematizações realizadas por Fernanda Almeida (2016, 2018) e Carolina de Andrade (2016), principalmente as ações corporais, partes do corpo, níveis, direções, apoios, ritmo, peso e tempo.
3. Estratégias de abordagem – propostas também advindas das mesmas autoras, tais como o lúdico, a educação, a apreciação estética e a interação, somadas aos princípios pontuados por Joana de Oliveira (2011), a saber: repetição/improvisação; interdisciplinaridade/presença; ritmo/musicalidade; e a percepção da outra pessoa, do espaço e de si mesmo na relação com a/o outra/o e no espaço.

Os fundamentos brincantes abrangem os conceitos de cultura e culturas populares ancorados nas discussões de Joana de Oliveira (2011), que discorre acerca de tais termos sob o prisma de que todos os povos têm cultura e nenhuma é superior à outra. Essa compreensão nos incentiva a abordar os elementos das manifestações criativas e orgânicas da população brasileira de maneira crítica, contextualizada, dinâmica e respeitosa, contemplando a profundidade e a complexidade do tema.

Ricardo Elia (2017) relata que Mário de Andrade entendia a identidade brasileira de forma lúdica e inventiva e por isso idealizou os Parques Infantis, projeto de educação da infância posto em prática quando ele foi diretor do Departamento de Cultura da prefeitura de São Paulo, entre 1935 e 1938. Como nos lembra Roberta de Paula (2012), Mário foi escritor, poeta, etnógrafo e crítico de música, literatura e artes plásticas. Também era admirador das culturas brasileiras, sendo um dos seus projetos a promoção e a nacionalização da arte e da cultura do Brasil.

Além do mais, ele via a criança como produtora de cultura. Assim, o cotidiano dos Parques Infantis tinha uma estrutura menos rígida, na qual a criançada, em conjunto com os responsáveis, organizava as próprias atividades – como jogos (sociais e sensoriais), brincadeiras diversas, ginástica, natação, arte, artesanato, e os saberes das manifestações tradicionais das culturas brasileiras, como teatro, dança, desenho, jardinagem, modelagem e outros (Elia, 2017).

De acordo com Ana Lúcia de Faria (1999) e Roberta de Paula (2012), tal prática educativa dos Parques Infantis oferecia uma diversidade singular de experiências éticas, estéticas, lúdicas, artísticas e corporais, por meio da educação da cultura alinhada ao cuidado infantil. Roberta de Paula (2012) afirma que essa proposta de Mário de Andrade foi e é inovadora por estruturar-se no binômio educação-cultura e valorizar as diferentes linguagens expressivas – verbal, musical, corporal, poética, visual etc. Ademais, o trabalho com as danças populares não acontecia de forma escolarizada, mas de maneira ampla, objetivando a vivência e a experiência sensorial.

Conforme Rafael Pizani, Edivaldo Góis Júnior e Silvia Amaral (2016), a meninada que vivenciava os Parques Infantis fazia atividades de levantamento e registro das cantigas, brincadeiras e danças que

DANÇARELANDO

aprendia com seus familiares. Delegar uma pesquisa dessa natureza às crianças era reconhecê-las como sujeitos de direitos, autônomas, capazes de tomar decisões e criar a partir do contato com a cultura. No que concerne precisamente à dança nos Parques Infantis,

> [...] as crianças deveriam ter de três a seis aulas [semanais], sendo inicialmente trabalhadas as rodas cantadas com imitações e figurações simples, assim como as letras das músicas. Para as crianças maiores eram introduzidas danças, as quais deveriam ser organizadas com passos precisos e ritmo, vindo a apresentar um caráter utilitário, ligadas aos benefícios dos exercícios. As orientações sugeriam ainda que as danças fossem preferencialmente ligadas a temas do folclore, retratando a forte influência da construção de uma identidade nacional que se materializava nos corpos e nas cidades, nas carnes e nas pedras. (*ibidem*, p. 716)

Hoje, as estratégias que envolvem a imitação e a reprodução gestual das letras das músicas, bem como o treinamento de passos para uma abordagem da dança com a infância são alvo de amplas discussões. As pesquisas acadêmicas apontam para caminhos que valorizem vivências autorais, embora ainda sejam comuns, nos espaços educativos, ações baseadas apenas na cópia desprovida de significados, com objetivos diretamente ligados ao caráter utilitário e virtuoso (Almeida, 2017a). Entendemos a imitação como uma possibilidade de trabalhar a dança com a meninada, principalmente quando ela é vinculada ao faz de conta e desde que não impeça a reelaboração das experiências infantis. Além disso, dependendo de como a imitação é mediada, é possível explorar a incorporação dos conceitos em dança, com a apropriação do movimento e a conscientização do corpo. A repetição pode evocar a profundidade.

Recorremos, então, a Priscila Dornelles e Paulina Miceli (2016, p. 3), que consideram que "[...] as crianças não se limitam a imitar apenas o que fazem os adultos, elas interpretam a seu modo a realidade e a cultura e as reproduzem a partir de sua compreensão, e dessa maneira produzem suas culturas, as culturas infantis". Dessa maneira, a imitação, chamada aqui de reprodução interpretativa (Corsaro, 2011), pode ser, nessa fase da infância, "interessante, adequada e não tolher o potencial criativo da criança" (Almeida, 2017a, p. 508). Por meio dela, a garotada é capaz de compreender o movimento e reelaborá-lo à sua maneira, encontrando outras possibilidades de produzir sentidos próprios.

Além disso, as danças tradicionais têm códigos próprios; logo, o aprendizado dos passos torna-se parte do processo. A questão é: que estratégias são utilizadas para ensiná-los? Acreditamos numa abordagem que não seja pautada na mimetização das letras de música ou na exclusiva reprodução de gestos, uma vez que entendemos que a dança não se resume a movimentos pré-codificados ou à elaboração de coreografias. Ela é uma área de conhecimento que lida com os saberes do corpo e com a criação e a experiência artística, estética e poética.

Em relação aos elementos da dança, concebemos a dança como uma linguagem da arte que precisa ser pensada com base na singularidade das pessoas, respeitando e valorizando a expressividade e as particularidades de movimentação e apropriação da gestualidade de cada indivíduo.

Segundo Carolina de Andrade (2016), é importante que a investigação do corpo seja apresentada às crianças de maneira divertida, para que elas possam compreender suas estruturas (ossos, músculos, articulações, pele, partes corporais) – apreendendo, assim, o que têm de igual ou diferente em relação ao próximo. Nesse contexto, Fernanda Almeida (2016; 2018) e Carolina de Andrade (2016) entendem a dança como um campo com conhecimentos específicos, passíveis de ser vivenciados com diferentes pessoas, necessitando apenas abordagens lúdicas apropriadas.

Cipriano Luckesi (s/d) aponta que a atividade lúdica é aquela que propicia a plenitude da experiência. Para o autor, vivenciar uma experiência lúdica é estar plenamente presente, é visar apenas a própria experiência de modo que haja uma integração mental, emocional e física. Constitui, desse modo, um mergulho pessoal diferente e singular para cada ser.

Além do lúdico, outra estratégia de abordagem que encontrou ressonância nesse estudo foi a educação estética, voltada para o ser poético (Ostetto, 2011). Visa à ampliação de saberes, sabores, repertórios vivenciais e culturais, possibilitando o exercício da sensibilidade – mobilizada por todos os sentidos, na totalidade do olhar, da escuta, do movimento e do sentir.

A educação estética proporciona outras percepções que tangem o mundo de forma poética, mitológica, simbólica, metafórica e contemplativa. Assim, na arte do inusitado ou no inusitado da arte, provoca e convida a ouvir, degustar, brincar, experienciar, cantar e dançar. Com isso, como as culturas populares e as crianças são essencialmente linguageiras, as múltiplas linguagens podem ser um caminho para as vivências em dança no encontro com a fotografia, a música, as mídias, o movimento, as esculturas, os desenhos, a poesia, a dramatização, o jogo e muitos outros campos do conhecimento.

Já sobre a importância de se vivenciar o universo das brincadeiras populares, Joana de Oliveira (2011) destaca alguns princípios que ajudam a pensar as culturas populares como uma das referências metodológicas para o trabalho com teatro em âmbito educativo formal, os quais adaptamos ao contexto da dança.

A autora frisa que o intuito não é transferir os fazeres das culturas populares para a escola, mas usar elementos das festas e brincadeiras como um caminho para a construção de conhecimento. Dessa maneira, o primeiro princípio apontado é o da repetição/improvisação – bastante comum nas manifestações populares –, que, embora tenha códigos e regras estabelecidos, abre espaço para o riso e o lúdico.

A interdisciplinaridade/presença trata da variedade de habilidades que a pessoa brincante pode executar dentro da brincadeira, como cantar, tocar, dançar, relacionar-se com o espaço e com outrem simultaneamente. Esse aspecto possibilita paralelos entre as diversas linguagens da arte que podem ampliar os repertórios corporais e de movimentos da criançada, bem como propiciar experiências estéticas de expansão dos sentidos e das noções de corpo.

O princípio do ritmo/musicalidade aponta que nas brincadeiras populares há uma forte presença musical que contribui para o desenvolvimento da percepção rítmica, auxiliando as meninas e meninos na apreensão dos diversos tempos, velocidades, pausas e impulsos de movimentos.

Por fim, a relação com a/o outra/o e com o espaço é um caminho relevante nas vivências dançantes e nas manifestações expressivas das culturas populares brasileiras com as crianças pequenas, pois a relação com o espaço em dança está presente nos deslocamentos, nas direções e nas trajetórias do movimento pelo espaço. É no contato com os pares que ocorre a produção cultural dos pequenos brincantes e são desenvolvidas as expressões multilinguageiras.

DOU-LHE 1, DOU-LHE 2, DOU-LHE 3: OS PEQUENOS SERES BRINCANTES DANÇANTES EM AÇÃO

Com o intuito de experimentar a sistematização dos três eixos apresentados, iniciamos as aproximações ao campo de ação, seguidas dos encontros dançantes.

O primeiro contato se deu por uma visita à instituição educativa, objetivando conhecer o espaço, as gestoras, professoras, demais funcionárias e a criançada, bem como organizar a agenda de datas e horários das duas turmas envolvidas.

Após os acordos realizados com a gestão institucional, empreendemos dois dias de observação participante da jornada educativa, almejando inserir o projeto de dança de forma integrada às necessidades e particularidades do contexto. Nesse sentido, buscamos perceber que dimensões do movimento as crianças já acessavam, o que conheciam do corpo e quais eram suas experiências com elementos da dança e com manifestações das culturas tradicionais brasileiras.

No segundo dia de observação, motivadas pelo estudo dos Parques Infantis – que apontava a importância de conhecer a cultura das crianças e das famílias para que as propostas fomentassem significados e sentidos para a garotada –, decidimos conversar com as crianças sobre suas músicas e brincadeiras favoritas. Também escolhemos, previamente, algumas cantigas do cancioneiro popular infantil, no ensejo de saber se identificavam alguma delas (ou outras) e se conheciam brincadeiras ou danças de roda.

Organizamos e entregamos um questionário às famílias, que procurava descobrir as cantigas populares, brincadeiras ou danças de roda conhecidas e praticadas em tenra idade. Tal ação estava em consonância com Priscila Dornelles e Paulina Miceli (2016, p. 3), que apontam que as famílias são "os primeiros grupos sociais dos quais as crianças participam, tornando-se, assim, fortes influências que colaboram diretamente para a formação das culturas infantis". Portanto, conhecer as experiências familiares contribuiu para uma aproximação mais significativa com a meninada.

As respostas mais recorrentes foram brincar de esconde-esconde, cantigas como "Atirei o pau no gato", "Alecrim dourado", "Ciranda, cirandinha" e as histórias do Saci-Pererê e da Mula sem Cabeça. Percebendo que a característica das cantigas era recorrente, tanto no contexto familiar quanto no CEI, decidimos começar as vivências partindo dessa convergência de conhecimentos.

Nosso objetivo era apresentar a essa gente miúda a diversidade cultural do Brasil, revivendo tradições populares de variados lugares do país. A estratégia foi partir das respostas dadas por pais, mães, responsáveis e crianças aos questionários e conversas. Depois fizemos um apanhado das experiências infantis das funcionárias e professoras, seguindo posteriormente para as culturas brasileiras.

De nossa parte, destacamos que não havia um plano de ação pronto desde o início. As vivências eram pensadas encontro a encontro. Optamos por esse caminho pelo fato de ele nos possibilitar uma escuta mais sensível e atenta às necessidades e curiosidades da garotada. A esse respeito, Márcia Buss-Simão (2014, p. 103) comenta que "ouvir as indicações das crianças oferece pistas que podem contribuir para a construção da especificidade da docência com as crianças pequenas, a qual envolve uma grande quantidade de ações" (2014, p. 103).

Ao longo do fazer, usamos poemas em formato de cordel para, por exemplo, apresentar as regras de convivência que elaboramos coletivamente.

Apresentação dos combinados em cordel

Por meio da arte e da poesia, especialmente do cordel, foi possível transformar uma leitura de "regras", que geralmente é uma coisa chata para a pequenada, em uma coisa divertida, prazerosa e interessante. Essa é uma estratégia que pode ser adotada pelas professoras, pois não fica muito apegada ao lugar do não pode. Na escrita do cordel, podemos usar de uma licença poética que vai brincando com as palavras. O mesmo se dá apresentando os combinados em forma de história ou música. (Diário de campo, 4/9/2018)

Discorrendo sobre a poesia infantil, Luciana Ostetto (2011) menciona que se trata de um dos meios de criar linguagens e de se aproximar da lógica particular e característica das crianças. Nas vivências, notamos que a poesia de cordel constituiu uma abordagem diferente e interessante para essa gente de pouca idade.

Além disso, dançamos e imitamos os personagens das músicas e dos contos tradicionais, como o gato e o cachorro. Para trabalhar o gato, buscamos relacioná-lo aos elementos da dança (apoios, ações corporais, níveis e espaço) e, na sequência, solicitamos que cada criança criasse sua própria dança do gato, utilizando, combinando e ampliando os elementos/gestos sugeridos por nós. Já para trabalhar o cachorro, usufruímos de uma canção que brinca com a associação de sons – "cachorrinho está latindo/ lá no fundo do quintal/ cala a boca cachorrinho/ deixa o meu benzinho entrar/ tindô, lelê/ ô tindô lêlê, lálá/ tindô, lêlê/ não sou eu que caio lá" –, a partir da qual exploramos a relação do movimento com a letra da música. Cantamos cirandando e, no refrão, nos distribuímos pelo espaço explorando alguns dos apoios possíveis em relação ao animal e transitando entre a corporalidade do gato e a do cachorro.

As múltiplas linguagens também foram o eixo central da maioria das intervenções. Em uma delas, iniciamos com a confecção e pintura de cachorros em origami e, em seguida, contamos uma pequena história criada por nós, que narrava o encontro do cachorro com o caranguejo, fazendo assim uma ponte entre o encontro dançante anterior e o atual de modo que houvesse um contínuo entre as proposições.

Construímos essa vivência partindo dos elementos do cacuriá, dança típica do estado do Maranhão que acontece em roda ou "cordão" e compõe as festas da tradição junina, em especial como parte das festividades do Divino Espírito Santo. Fizemos uso de recursos midiáticos de vídeo e imagens para apresentar o caranguejo à criançada e levamos impressa uma imagem com o mapa dos estados brasileiros, para localizar o Maranhão – além de cantar, dançar e brincar o "caranguejinho tá andando/ tá na boca do buraco/ caranguejo sinhá".

Horas depois dessa vivência, observamos algumas crianças no parquinho reproduzindo as proposições dançantes do gato e do caranguejo. Essa transferência da brincadeira está em conformidade com o que William Corsaro (2011) denomina "cultura de pares", grupos de ações e/ou atividades, rotinas, valores e preocupações que essa gente de pouca idade compartilha nas interações com outras crianças, reelaborando-os à sua maneira. Foi uma satisfação saber que elas estavam incorporando os saberes da dança e levando-os para outros momentos do cotidiano.

Em outra vivência, decidimos iniciar com um poema para sensibilizar esses seres de pouca idade, partindo do princípio de que "a

FERNANDA DE SOUZA ALMEIDA (ORG.)

poesia seria um dos meios pelos quais a criança 'escapa' do domínio do adulto, centrado na razão e na linearidade, para atingir outros processos de leitura do mundo" (Pondé, 1984, p. 125). Ansiávamos, com isso, preparar a criançada para saborear o jogo tradicional infantil "adoleta", para, com ele, aproximá-las de alguns elementos do jongo. Segundo o *Dossiê jongo no Sudeste* (Iphan, 2007, p. 11),

o jongo é uma forma de expressão que integra percussão de tambores, dança coletiva e elementos mágico-poéticos. Tem suas raízes nos saberes, ritos e crenças dos povos africanos, sobretudo os de língua bantu. É cantado e tocado de diversas formas, dependendo da comunidade que o pratica. Consolidou-se entre trabalhadores das lavouras de café e cana-de-açúcar do Sudeste brasileiro, principalmente no vale do Rio Paraíba do Sul. É um elemento de identidade e resistência cultural para várias comunidades, bem como espaço de manutenção, circulação e renovação do seu universo simbólico.

A relação entre a brincadeira e o jongo aconteceu principalmente nas palmas cruzadas da adoleta, em que as crianças, frente a frente, batem as mãos: direita com direita e esquerda com esquerda. Então, incorporamos o desafio no qual a perna deveria acompanhar a mão, até chegar na movimentação específica da dança e incluir o giro com a troca de lugares.

Assim, entre gatos, cachorros, caranguejos, sapos, jacarés, coiós, cacuriás, cirandas, jongos, capoeiras, catiras, cantigas, cordéis, brincadeiras, jogos, brinquedos, adivinhas, sapateados, palmas, adoletas, "feijão com arroz", mapas do Brasil, vídeos, dobraduras e pinturas, entramos na roda e exploramos palavras, sons, expressões e gestos de modo mágico, metafórico e lúdico, indo do ordinário para o extraordinário.

A esse respeito, Luciana Ostetto (2011) relata a importância de se construir práticas pedagógicas que alarguem as oportunidades de acesso à riqueza da produção cultural, promovendo a aproximação das crianças com os diferentes códigos estéticos e ampliando seu repertório vivencial e cultural. Esse foi o ponto central da pesquisa, uma vez que procuramos expandir os conhecimentos e experiências, nossas e das crianças, estabelecendo trocas e encorajando a experimentação, a invenção e a autonomia.

Por fim, apresentamos às crianças o bumba meu boi maranhense, por ter sido uma das manifestações da cultura popular mais pesquisadas por Mário de Andrade, tendo estado presente nas atividades desenvolvidas nos Parques Infantis. Essa foi a vivência em que mais utilizamos as diferentes linguagens, mesclando conto, dança, dramatização, musicalidade, apreciação e educação estética.

A mediação baseou-se no que Robson Rosseto (2012, p. 45) denomina professoras-personagens, isto é, "um recurso que subsidia a criação de uma atmosfera cênica, impulsionando a teatralidade no espaço de ensino". Ora assumíamos as características de narradoras do conto do boi, ora nos transfigurávamos em fazendeiras, bois, vaqueiras ou Catirina[4]. Apresentamos o instrumento musical caixa, usado na festa do boi, e também brincamos de roda. Tudo isso aproximou as crianças do estado de interdisciplinaridade/presença (Oliveira, 2011), oportunizando a diversificação das experiências estéticas.

> O toque e a presença da caixa fizeram toda diferença nesse encontro, visto que propiciaram uma maior percepção do ritmo que conduziu o movimento. Conseguimos cantar e dançar na roda as duas músicas elencadas no plano de ação, e foi muito surpreendente observar a criançada em suas explorações, perceber como já ampliaram as percepções do corpo e de suas partes, como estão mais claras para eles as relações e conexões estabelecidas no gesto e no movimento. (Diário de campo, 23/10/2018)

Diante das risadas, gesticulações e catarses, notamos que esse foi o encontro em que as crianças mais se divertiram. Todas queriam andar ao som da caixa, explorando, em diferentes direções, o encantar do vaqueiro, o ataque do boi, a movimentação da roda, o girar e vários outros elementos rememorados dos encontros anteriores. Luciana Ostetto (2011, p. 6) alerta que "[...] um dos papéis do professor é abrir canais para o olhar e a escuta sensíveis, disponibilizando repertórios (imagéticos, musicais, literários, cênicos, fílmicos) não apenas para a realização de uma atividade, mas, inclusive, cuidando do visual das salas e dos demais espaços da instituição". Nesse sentido, procuramos levar o máximo de materiais que provocassem e auxiliassem a meninada nas experimentações, descobertas e criações ao convocar sua corporalidade.

Ao final desse, e de tantos outros encontros, era nítido que a pergunta da pesquisa estava sendo respondida, pois as crianças dançaram tendo os saberes populares como eixo.

1, 2, 3, SALVE O MUNDO: ESBOÇANDO OS PRÓXIMOS PASSOS

Ao longo do percurso de pesquisa, além de notarmos como os elementos das culturas populares brasileiras podem ser uma estratégia interessante para abordar a dança com as crianças, deparamos com características da diversidade que nos fizeram ampliar nossas perspectivas sobre cultura, dança, relações com si mesmo, com o corpo e com o outro.

Os muitos desafios que a docência com a pequena infância nos apresentou – como desatenção, choro, brigas, manhas, enfrentamentos, resistências e situações adversas e caóticas – contribuíram exponencialmente para a nossa formação. Como lidar com o que escapa ao planejado? Como reconhecer outra ordem, outro jeito de conceber, fazer e dialogar a partir da alteridade da criança?

> Ao planejar as atividades, por vezes, nós, professoras/es, imaginamos que elas acontecerão de acordo com nossas expectativas, e a criançada corresponderá exatamente ao que foi descrito no plano. Entretanto, é preciso ter a clareza de que a lógica infantil é diferente da adulta: a meninada explora e vivencia as brincadeiras a partir das suas referências e reelaborações; portanto, mesmo que às vezes pareça que a proposta virou uma grande confusão, as crianças estão, sim, experimentando e produzindo significados sobre o que foi proposto. Contudo, à sua maneira e de acordo com as especificidades do contexto infantil. (Diário de campo, 27/11/2018)

Ampliamos nosso olhar para além do que estava visível, o que nos levou a perceber outros detalhes e sutilezas que muitas vezes estavam presentes de modo subliminar. Nesse sentido, Márcia Buss-Simão (2014, p. 108) afirma que

> [...] incluir, nas ações pedagógicas, a perspectiva das crianças exige também recuperar valores e conhecimentos que incluem o corpo e suas expressões, o movimento, o gesto, o afeto, as emoções, a ludicidade, o encantamento e o maravilhamento e, sobretudo, valores e conhecimentos capazes de lidar com as polissemias e com as complementaridades, inclusive a complementaridade proporcionada pela contribuição única que as crianças podem dar a partir da sua condição geracional, diferente daquela advinda do mundo social de pertença dos adultos.

Talvez tenha sido este nosso maior aprendizado: deslocar o olhar e a perspectiva adulta que produzem e organizam o mundo para as crianças e entender que, no contexto educacional, as relações acontecem a partir das crianças e com elas. Convertemo-nos, então, em parceiras privilegiadas de infinitas aventuras poéticas!

Ademais, evocamos, conforme Patrícia Cardona (2012), uma presença integradora, provocativa, estimulante e apaixonada da nossa docência artística, que usou o corpo, a voz, um ritmo cênico e toda uma expressividade – ora de mistério, ora de desafio ou jogo –, para nos relacionarmos com os saberes da dança e com as crianças durante a proposição das vivências.

Por fim, destacamos que o contexto educacional que encontramos antes de nossas intervenções foi modificado pelas professoras regentes, que ressignificaram suas práticas docentes depois da realização do projeto na instituição. As próprias crianças comentavam, durante as atividades, que estavam utilizando as vivências da dança em outros momentos, tais como no parque, em trocas com os pares e na relação com os adultos. Um processo fundamentado na partilha.

7. CONTANDO HISTÓRIAS PARA DANÇAR: ENCONTROS EM ARTE NA EDUCAÇÃO DAS INFÂNCIAS[1]

Fernanda de Souza Almeida
Letícia Fonseca de Abreu

UMA INFÂNCIA QUE CARREGAVA ÁGUA NA PENEIRA NO CAMPO DA ARTE

> *Tenho um livro sobre águas*
> *e meninos.*
> (Manoel de Barros)

As crianças e seus despropósitos...

Despropósitos apenas para pessoas adultas não criancistas, aquelas que não reconhecem, tampouco assumem as culturas das infâncias e não valorizam seus saberes. Essas sujeitas donas da maturidade vivem no alto da torre de suas experiências e estudos e veem com esquisitice as derivas ficcionais, as personificações do meio e as (re)invenções, rupturas, conexões e (re)inícios de tempo, espaço e ideias de meninas e meninos.

Subestimam o enredo da infância, cegando a vista para a potência subjetiva das atividades tipicamente infantis, que lhes parecem bobagens, ao pensar que devem fazer "malabarismos" se querem distraí--las, como bem percebeu Walter Benjamin (1985).

Todavia, os seres de pouca idade são tão hábeis que, oportunamente, fazem uma pedra dar flor. Além de Manoel de Barros nos lembrar disso em seus poemas, os escritos de Italo Calvino (1990, p. 78) reforçam que "só a esperança e a imaginação podem servir de consolo às dores da experiência". Que aprendamos, então, com a garotada.

As crianças e suas infâncias... As crianças são o sujeito e as infâncias, o tempo de vida. Se as crianças não são iguais, por que as infâncias seriam? Além do mais, o tempo é mutável e não é percebido da mesma maneira pelas pessoas. Ainda que o tempo seja o mesmo, as situações em que elas vivem são diferentes. Mudando-se a sociedade, mudam-se os contextos, e a isso se deve estar atento – sobretudo as e os docentes que atuam em projetos educativos com a meninada.

Cada espaço, tempo, cultura, sociedade e entorno darão pistas de quem são as crianças e como vivem, assim como suas influências e identificações. Portanto, reconhecê-las a partir de seus modos socialmente constituídos de pensar, agir, se expressar, participar e interagir com o meio (Goiânia, 2014) – e assumir sua capacidade de construir culturas, saberes, corporeidades e de dar sentido às experiências, incorporando-as e decantando-as – pode favorecer a proposição de vivências educativas, estéticas e poéticas situadas nos contextos específicos de cada instituição de educação formal.

Todavia, apesar de tão diferentes, as crianças carregam singularidades que compõem sua subjetividade. Essas figurinhas inauguram a novidade a cada momento, pois olham além, com binóculos de muitas lentes, entre as quais a da ludicidade e do imaginário. Para Deborah Sayão (2002a, p. 3),

> [...] é através de brincadeiras, de diversas linguagens, de seus sentimentos, de suas expressões, de gestos, de movimentos que empreendem com seus corpos em diferentes espaços que eles/as vão dando sentido à infância. Seus corpos possibilitam-lhes a experiência sensorial, sendo assim seus primeiros brinquedos.

Assim, com base na tríade corpo, lúdico e imaginação, passamos a refletir sobre uma possibilidade de dançar e brincar a contação de histórias na educação infantil, no intuito de colocar em cena as infâncias e as crianças no palco de suas múltiplas linguagens, no encontro entre artes.

Conforme Italo Calvino (1990), todo conto é envolto por um campo de magia permeado de poderes fantásticos, objetos mágicos, mistério, animais e objetos personificados, e marcado pela relatividade do tempo, em que uma viagem ao além pode durar algumas horas. Uma vez que são ricas em detalhes, as narrativas criam ambientes de encantamento, suspense e surpresa, tangenciando o sensível e reconstruindo a fisicalidade do entorno através da "impalpável poeira das palavras" (p. 90).

Nas obras *A hora das crianças* (2015) e "O narrador: considerações sobre a obra de Nikolai Leskov" (1985), Walter Benjamin considera que as narrativas escritas e orais são, para as crianças, possibilidades de expansão das experiências infantis, à medida que partilham diversificadas sabedorias de vida em um tempo e espaço tecido nas relações sociais, culturais, históricas, políticas e econômicas.

Nas figuras da pessoa ouvinte e da narradora, que conhece tradições, mitos e provérbios, a ação de contar histórias provoca uma extensão do real e uma dilatação do tempo que transformam pensamentos mágicos em conhecimento. Entre catástrofes naturais, comerciantes, marinheiros, camponeses sedentários, bruxas, ciganas, brinquedos e países longínquos, o cotidiano vai sendo revelado e as experiências, compartilhadas entre gerações.

Partindo da ótica de Benjamin, Juliana Lessa (2016, p. 119) aponta que

> as fábulas nadam contra a maré de estímulos incessantes, efêmeros e fugazes dos quais somos o tempo todo rodeados na vida cotidiana. [...] A fábula não se externaliza do sujeito, a fábula medeia uma relação entre pensamento e linguagem, assim como a arte: ao ouvir contos, a criança-ouvinte perlabora o que ouve na sua imaginação, cria imagens, transforma em ação mimética, mimetiza e cria memória.

Somada à esfuziante capacidade imaginativa infantil, a iniciativa de experimentar um atravessamento entre artes germinou, também, do reconhecimento da potência multilinguageira da meninada de pouca idade, por meio da qual se comunicam intensamente através de inúmeras formas de expressão (Prado, 2015). Elas transgridem as funções verbais ao conversar por meio de olhares, silêncios e pequenos movimentos de mãos. Começam suas frases com balbucios, continuam com o choro e terminam com toques. Beiram o indizível no muito bem dito das entrelinhas com uma inigualável habilidade inventada e não convencional de fundir, imbricar, misturar e melar as diversas linguagens em explosões de cores, formas, odores, sabores, texturas, sons, gestos, corridas, saltos, gritos e vibrações.

Dessa maneira, tendo caráter de pesquisa-ação (Thiollent, 1986), as proposições em dança e contação de histórias vinculadas ao projeto de cultura e extensão Dançarelando foram organizadas em um subprojeto de pesquisa nomeado "A dança da contação" e aconteceram em um CMEI goianiense com a participação de duas turmas de crianças pequenas, uma com 22 crianças de 4 anos de idade e outra com 19 crianças de 5 anos de idade. Esses meninos e meninas permaneciam em tempo integral na instituição, e a investigação aconteceu no período vespertino, uma vez por semana, em 16 encontros com 50 minutos de duração cada.

As informações foram geradas pelas anotações das pesquisadoras em seu diário de campo após cada encontro e contaram com o auxílio do registro audiovisual por meio de fotografias e vídeos, almejando recuperar a experiência, refletir e tecer apontamentos sobre as possibilidades de articulação da dança com a contação de histórias e o faz de conta.

Além de fundamentar as propostas educativas do estudo, principalmente, em Walter Benjamin (1985; 2015), Rudolf Laban (1978; 1990) e Fernanda Almeida (2016; 2018) e seus interlocutores, buscamos, nas plataformas digitais das principais revistas e anais de eventos acadêmicos do campo da arte, trabalhos na interface dança, contação de histórias e educação. Destacamos que não encontramos nenhuma pesquisa que relacionasse esses termos especificamente à educação infantil. A esse respeito, compreende-se que a possibilidade de compartilhar experiências e descobertas diversificadas nessa área pode expandir as percepções docentes e contribuir com sua formação em nível inicial e continuado.

FERNANDA DE SOUZA ALMEIDA (ORG.)

PERALTAGENS COM AS PALAVRAS E MOVIMENTOS NA DANÇA DA CONTAÇÃO

Para que uma história?
Quem não compreende pensa que é para divertir.
Mas não é isto.
É que elas têm o poder de transfigurar o cotidiano.
(Rubem Alves)

A construção do subprojeto "A dança da contação" começou com a revisão e seleção dos eixos conceituais e metodológicos centrais para a prática artístico-educativa no CMEI em que atuamos. Como a dança é o campo de nossa formação e atuação profissional, já nos alicerçávamos nas teorias de Rudolf Laban (1990) e na forma de organização e sistematização dos elementos próprios dessa linguagem artística a ser abordados na educação infantil, como os propostos por Fernanda Almeida (2016; 2018). Desse modo, o desafio residia em uma aproximação bem fundamentada à contação de histórias, o que estimulou nossa participação em cursos de extensão e estudos na área do teatro.

Nesse processo, identificamos as palavras, os silêncios e a linguagem corporal, matérias-primas do contador de histórias, como aportes para nossas ações multilinguageiras com as crianças, amalgamados com uma profunda capacidade de escuta sensível. Segundo Jonas Ribeiro (1999, p. 103),

> Ouvidos dourados conseguem ouvir as vozes dos personagens, as vozes que os ouvintes gostariam de ouvir naquele determinado instante, conseguem ouvir pausas e representá-las por meio da linguagem corporal e uma simultaneidade de onomatopeias e frases cortadas pelo mistério instaurado, pelo silêncio que o instante pede a fim de que a palavra adquira, no instante seguinte, a força devastadora dos tufões e ciclones.

Para Ribeiro, as palavras precisam ser cobertas de melodia e musicalidade, com modulações da voz, variação do timbre, da altura, do ritmo e da intensidade a fim de que cada som seja embargado de magia e emoção. Já os silêncios possibilitam ao ouvinte o tempo necessário para construir suas imagens, saborear as palavras e degustar seu eco, vibração e repercussão. O silêncio, expresso pelas pausas, tem um código próprio, apoiado na linguagem corporal. Por fim, a linguagem corporal, sustentada por um estado de presença, é a responsável por dar fluidez e espontaneidade à narração quando em sintonia com a palavra.

Sobre isso, Walter Benjamin (1985) já afirmava que a narração, em seu aspecto sensível, está distante de ser um produto exclusivo da voz; nela, os olhares e as mãos intervêm "decisivamente, com seus gestos [...] que sustentam de cem maneiras o fluxo do que é dito" (p. 220). Assim, partindo do pressuposto de que, na dança, palavra e pausa são corpo, pausa e corpo são palavra e corpo e palavra são pausa, criamos um primeiro território de atravessamento entre as artes para ancorar nossas proposições com as crianças pequenas.

Considerando que o Dançarelando se coloca como um projeto de extensão, que se faz no encontro com o contexto e assume as crianças como protagonistas da própria vida, fomos a campo nos valendo de observações para obter pistas sobre a garotada participante, seus interesses, inquietações, necessidades, brincadeiras e formas de interação – além de conhecer a jornada educativa e os projetos pedagógicos da instituição.

Feita uma primeira aproximação, a etapa seguinte consistia em elaborar um plano de ação em dança e contação de histórias, alinhado aos temas emergentes do campo "África, histórias e identidade", e esclarecer as professoras do CMEI sobre como oferecer a dança às crianças pequenas indo além dos passos e coreografias.

A linha de costura dos encontros foi o livro *Obax*, de André Neves (2010), por se tratar de uma narrativa sobre uma garota negra, sensível, aventureira e contadora de histórias que vive numa savana africana repleta de animais. Relemos diversas vezes a história, separando-a em partes que fosse possível relacionar com os elementos da dança (Almeida, 2016; 2018). Também utilizamos outras narrativas, inclusive autorais, para aprofundar vivências dançantes específicas.

Em nosso primeiro dia, por exemplo, a história foi contada na íntegra, com o livro em mãos, no intuito de acolher as ansiedades e aproximar as crianças do que, de fato, seria o projeto. Sugerimos que, a partir daquele momento, a sala educativa fosse transformada em uma savana, com muitas aventuras e possibilidades. Convocamos a ação corporal de andar almejando ressignificar o espaço e fomentar uma melhor distribuição entre elas, uma vez que notamos uma preferência pela aglomeração. Além de incentivar uma percepção espacial mais sensível e cuidadosa, tal atitude favoreceria a investigação do movimento sem que aquela gente miúda se chocasse.

Em seguida, estimulamos a ampliação da ação corporal ao pedir que andassem sobre os calcanhares, meia ponta, borda externa e interna dos pés e outras formas vindas das ideias das crianças. Construímos ainda um código para a organização espacial, mostrando uma gravura de flor para sinalizar que andassem afastadas umas das outras e uma gravura de pedras amontoadas para que andassem o mais próximo possível. O código foi tão interessante e marcante para a garotada que foi utilizado ao longo dos encontros, mesmo sem a referência das imagens.

Assim, entre experimentações de peso, espaço, deslocamentos, apoios, ações corporais e dinâmicas (Laban, 1978; 1990), contamos histórias para dançar, dançamos a história contada, criamos histórias, desenhamos a história contada para que seus traços fossem dançados, recitamos poemas, dançamos com as crianças, experimentamos, arriscamos, nos frustramos, fizemos descobertas e nos divertimos.

Imitamos o saltar do sapo, o rastejar do crocodilo, o enrolar e desenrolar do tatu-bola, o abrir e fechar de asas de um pássaro; nos movimentamos de maneira leve como uma borboleta e pesada como um elefante; modificamos as velocidades e dinâmicas na investigação das estruturas corporais, dos sentidos, dos apoios do caranguejo, da aranha e da centopeia; ampliamos as possibilidades e os formatos dos movimentos, reelaborando-os e combinando-os com expressividade, transformando-os em dança.

Desde as primeiras iniciativas do Dançarelando no CMEI, notamos uma afinidade dessa gente miúda com a natureza, "especialmente os animais, que são foco de atenção das crianças desde bem pequenas" (Goiânia, 2014, p. 97). Sempre que um novo bicho surgia no projeto, as crianças ficavam muito curiosas e entusiasmadas. Essa situação indica que tal referência deve ser incorporada aos processos educativos na infância – sobretudo na dança, pois oportuniza explorar movimentações diferentes daquelas a que estão acostumadas, podendo ser associada às ações corporais (Laban, 1978; 1990).

Nesse sentido, o momento final de todos os encontros consistia em transformar o tema da vivência, fosse ele uma ação corporal ou a experimentação do peso leve, em dança propriamente dita. Por essa razão, conceituávamos cada elemento da dança que estava sendo investigado, ajudando as crianças a ampliar seus conhecimentos e conectando-os de maneira poética.

Tratou-se de um processo viabilizado por muitos recursos, de modo que cada proposição fosse interessante, envolvente, convidativa e nutrisse um espaço único de ludicidade e encantamento, para que as meninas e os meninos participantes da pesquisa criassem danças próprias. Desse modo, lançamos mão de fantoches, varetas, cartões, tecidos, livros (ilustrados ou não), sombras, brinquedos e colchonetes; andamos em cascas de árvores, folhas secas e pedras, além de confeccionarmos, cada um, a nossa boneca Abayomi[2].

Em certo dia contávamos uma história com imagens; em outro, com livros; contávamos a história dançando para que as crianças dançassem ao mesmo tempo; noutro dia elas escutavam a história em áudio ou a assistiam em vídeo para depois dançá-la. Evocamos a investigação das diversas materialidades e estratégias multilinguageiras a partir de um questionamento livre de julgamentos adultos: e se? E se esse tecido virar uma saia? E se ele virar o cabelo de uma sereia? E se ele virar o véu de uma noiva, um pano de chão ou um lenço para enxugar as lágrimas? E se gravarmos a história em áudio para dançar enquanto a escutamos? E se as crianças inventarem uma parte da história? E se? E se? E se?

Ademais, para conceber tantas variações de encontros entre dança e contação, supusemos que, se para Benjamin (1985), não são as coisas que saltam das páginas em direção à criança que as vai imaginando, mas a própria criança que penetra nas coisas durante o contemplar, que potência ganharia a experiência infantil quando a criança inteira, com o corpo que é, adentrasse, de fato, nesse palco pictórico!

A título de exemplificação, na 12ª vivência no CMEI contamos a parte da história de *Obax* que falava sobre um baobá, almejando favorecer a experimentação e a ampliação da dinâmica do movimento *torcer* (Laban, 1990). Recorremos a imagens de diferentes tipos de árvore, de modo que as crianças tivessem variadas referências de torções, como as que aparecem em galhos, raízes e troncos. Aproveitamos para apresentar as espécies de árvores, especialmente as do cerrado, presentes na cidade de Goiânia.

Questionamos como seria se os braços fossem os galhos, os pés e pernas as raízes e o nosso dorso o tronco de uma árvore toda retorcida. Nessa investigação, torcíamo-nos ora lentamente, ora com maior velocidade, de maneira bem expansiva ou retraída, com um dos braços se direcionando para cima e uma perna indo para a frente; em pé, deitadas/os e promovendo combinações que foram ganhando fluidez e ritmo ao som de uma música instrumental. Ao final, as crianças foram convidadas a desenhar suas árvores dançarinas.

Utilizamos várias estratégias nesse processo – estímulos visuais, imitação, produção artística e experimentação com as partes do corpo –, todas com o objetivo de ampliar o conhecimento corporal, as possibilidades de movimentação e a criação no encontro entre artes. Notamos que a garotada pulsou com a história e penetrou nas imagens, criando e recriando com o corpo inteiro que são (Gobbi, 2007).

Em outro encontro, motivadas pelo personagem da aranha, preparamos uma grande "teia" de barbantes, com diferentes alturas e tramas, em um pequeno espaço do pátio com pilares de concreto, para que as crianças dançassem por entre eles utilizando os níveis, os apoios e suas possibilidades de movimentação.

Identificamos, logo no começo do projeto, a necessidade de trabalhar com as crianças o ato de ouvir nas mais diferentes situações: no momento de escutar a história, na explicação da proposta e durante a troca de ideias e curiosidades. Tal ação se desenrolou por muitos e muitos encontros, uma vez que a meninada ficava ansiosa e falava junto com a contação. Conversavam durante a explicação da proposta e, por vezes, transformavam os encontros dançantes em grandes correrias e gritarias. Esses aspectos foram se abrandando ao longo do projeto, contribuindo para os processos de atenção, concentração, compreensão e envolvimento com cada atividade.

Esse comportamento das crianças, bem como nossas propostas em dança pautadas na criatividade, na improvisação e na investigação do movimento, esbarra em uma herança iluminista de educação que separa a cabeça do corpo de adultas/os e crianças (Sayão, 2002b) e se vê descolada de um lugar brincante, dançante, criativo, curioso, imaginativo e poético.

Trata-se de uma educação controlada, planejada, uniforme e homogênea, de comando dos gestos, que aniquila a pesquisa da multiplicidade de expressões, da apreciação estética do mundo, do encontro com o inusitado e a originalidade que surge na fantasia infantil (Gobbi, 2007). Por essa razão, as crianças ficam tão agitadas em alguns dias e em absoluta catarse nos momentos que favorecem o ato criador.

Para a última vivência no CMEI criamos uma história que retomava os caminhos percorridos ao longo dos 16 encontros, mencionando as trocas, frustrações, aprendizados e alegrias. Além disso, elaboramos um vídeo composto de alguns momentos do projeto para que as crianças pudessem se observar enquanto seres dançantes.

> O vídeo começou e eu nunca vi tanta empolgação e alegria numa situação como essa, de verdade. As crianças gritavam ao se ver, riam, apontavam e não sabiam o que fazer de tanta satisfação. Trocava olhares com a Fernanda e nossa expressão era a mesma: surpresa! Imaginava que ficariam felizes, mas não dessa maneira. Foi um momento muito gostoso e gratificante, uma coisa tão pequena, mas tão cheia de significado para elas. Senti-me grata por ter conseguido fazer isso. (Diário de campo, 17/10/2017)

Quando o encontro terminou, perguntamos às crianças o que elas estavam fazendo no vídeo. Elas prontamente responderam que estavam dançando, mencionando alguns dos conceitos/elementos da dança trabalhados nas experimentações. Assim, por meio do olhar desses meninos e meninas de pouca idade, entendemos que o encontro entre dança e contação de histórias é um território fecundo para ampliar as experiências multilinguageiras infantis em processos sensíveis e poéticos de ludicidade.

SUPERANDO O "ADULTOCENTRISMO"

> *Contamos histórias porque sentimos prazer em dançar com as palavras, em sentir o ruído de seus passos em nossos ouvidos, pois contar histórias nada mais é do que dançar.*
> (Jonas Ribeiro)

Como contadoras de histórias, utilizamos muitos conhecimentos tanto acessados nos cursos de extensão como aprofundados nos estudos sobre a contação de histórias. Fizemo-nos valer do silêncio, de modulações na voz, de conexões por meio do olhar e da emoção de contar histórias autorais. Estudamos anteriormente cada história e preparamos o espaço, tornando-o convidativo, fosse em círculo, fosse em forma de "u", de frente um para o outro ou em quadrado. Usamos uma colcha de retalhos, músicas, texturas, cores, temperaturas, brinquedos e brincadeiras, barbantes, lenços, animais de pelúcia e muitas imagens. Construímos um ritual próprio e fizemos dele nossa residência. A esse respeito, Luciana Ostetto (2000, p. 177) aponta que

> [...] planejar é essa atitude de traçar, projetar, programar, elaborar um roteiro para empreender uma viagem de conhecimento, de interação, de experiências múltiplas e significativas para/com o grupo de crianças. Planejamento pedagógico é atitude crítica do educador diante de seu trabalho docente. Por isso,

não é uma fôrma! Ao contrário, é flexível e, como tal, permite ao educador pensar, revisando, buscando novos significados para a sua prática docente.

Apesar de nos colocarmos nessa atitude de flexibilização, de professoras reflexivas e sensíveis às mudanças necessárias ao longo do projeto, encontramos certa dificuldade em não nos frustrarmos com as situações que não haviam "dado certo". Isso porque ainda somos cooptadas por um "adultocentrismo" que se coloca como modelo da criação infantil e, com isso, criamos expectativas em relação às reações e respostas das crianças, especialmente ao esperarmos que elas "superem" a vivência anterior em suas produções e expressões – atitudes que necessitam ser constantemente pensadas e repensadas no encontro com as crianças até conquistarmos, de fato, uma postura horizontalizada de diálogo.

Além disso, muitas vezes nos sentíamos pressionadas por estarmos desenvolvendo uma pesquisa acadêmica e desejarmos seu "êxito", sem "falhas", o que também não corresponde aos processos educativos, sobretudo com crianças pequenas, que constantemente nos convidam ao inesperado, ao inusitado, ao desconhecido; desse modo, surgem, a cada encontro com essa garotada, diversos momentos de desarticulação da ordem esperada pelas pessoas adultas.

Lidar com essas questões requer de nós, docentes, o rompimento com as resistências (nossas e das crianças), com posturas impositivas ou prescritivas, com a necessidade de domínio das situações e com concepções de superioridade acerca do conhecimento. É necessário se permitir aprender com a meninada e enxergar o que sai do planejado como oportunidades para temas de conversas, expansões e criações das próprias danças (nossas e das crianças).

Assim, nesse caminhar formativo permanente, compreendemos que nossas danças encontravam sentido no meio da bagunça organizada das crianças de pouca idade. Talvez agora não quiséssemos mais dançar sozinhas...

8. DANÇAR COM A CRIANÇA: COMPOSIÇÃO E CRIAÇÃO COM A PEQUENA INFÂNCIA[1]

Fernanda de Souza Almeida
Carolina Romano de Andrade

DANÇA E INFÂNCIA: LINGUAGEM, MOVIMENTO E CRIAÇÃO

Nos últimos 25 anos de consolidação da educação infantil como a primeira etapa da educação básica, políticas públicas e pesquisas acadêmicas[2] têm buscado compreender as infâncias e a ação educativa nessa fase da vida.

O diálogo com diversas áreas do conhecimento vem fomentando uma concepção mais ampla do conceito de crianças, corpos e movimentos, em que estes são tidos como indissociáveis da constituição de suas identidades e das possibilidades de interação (Buss-Simão, 2009). Esse tipo de reflexão favorece a construção de propostas que se distanciam de um modelo tradicional de transmissão do conhecimento e de uma visão escolarizante da educação infantil e reconhecem as especificidades educativas dessa etapa, as quais integram o educar, o cuidar e o brincar em ações que expandem e diversificam as experiências das crianças sobre si, as outras pessoas e o entorno, sem o caráter definitivo de elaboração dos conceitos. Trata-se de uma perspectiva que considera o dinamismo do desenvolvimento infiltrado na cultura, em que o corpo – com seus sentidos, significados e expressões – é vivido em sua plenitude (Sayão, 2002a).

Há uma centralidade do corpo nas ações e relações infantis. É possível notar que "aquilo que as crianças mais gostam de fazer é experimentar novas sensações, novas experiências, mexer, tocar, rolar, pular, fuxicar, demonstrando o contato consigo, com os afetos e com os signos pertencentes ao contexto cultural" (*ibidem*, p. 61). É nesse movimento que as crianças constituem identidades, interações, convivências e autonomia.

Desse modo, é necessário incentivar que meninas e meninos vivenciem corporalmente a infância nas mais variadas possibilidades de ações, expressões e linguagens produzidas pela cultura em que estão imersos e que, constantemente, criam e reinventam. Nesse sentido, pensar essa gente pequena como protagonista e, ao mesmo tempo, mediada pela cultura é reconhecer que

> [...] a criança, centro do planejamento curricular, é sujeito histórico e de direitos que, [...] nas suas práticas cotidianas, vivencia, constrói sua identidade pessoal e coletiva, brinca, imagina, fantasia, deseja, aprende, observa, experimenta, narra, questiona e constrói sentidos sobre a natureza e a sociedade. (Brasil, 2010, p. 1)

É, também, optar por um caminho: o da expressão de suas múltiplas linguagens (Gobbi e Pinazza, 2015), recuperando valores e conhecimentos que incluem o movimento, o gesto, o toque, os sabores, os cheiros, os sons, o desenho, a pintura, a fala, a escrita, a poesia, os sonhos, o encantamento, a representação, o brincar e a invenção de cenários, narrativas e personagens. Trata-se de uma compreensão da educação infantil como campo de conhecimento interdisciplinar e de políticas intersetoriais, multidimensionais e em permanente evolução.

Nesse sentido, as Diretrizes Curriculares Nacionais para a Educação Infantil (Brasil, 2010) destacam a natureza lúdica de jogos, brincadeiras e dança como manifestação artística e cultural essencial para que as crianças dominem a linguagem simbólica e o universo sensível. Desse modo, a dança pode ser trabalhada segundo princípios estéticos da sensibilidade e da poética, valorizando o ato criador.

Assim, este capítulo busca ressaltar determinados aspectos de um processo de criação em dança no qual as crianças pequenas são consideradas sujeitos ativos no seu processo de empoderamento e reelaboração do conhecimento, valorizando suas contribuições singulares – diferentes daquelas advindas do mundo adulto. Uma criação em dança *com* as crianças e não *para* elas; sem negar, com isso, a preocupação em relação à apropriação do patrimônio cultural da humanidade (direito legítimo de todas as pessoas), como as danças brasileiras, étnicas, de rua, o balé e a dança contemporânea, entre tantas outras.

Para pensarmos a criação em dança com a criança para além do senso comum, como a criação de *coreografias*, é preciso que esse processo abranja o lúdico e conte com um propósito, uma intenção – por exemplo, a investigação e identificação de movimentos para a *composição* de um espetáculo ou de uma cena –, que podem se alterar conforme a situação planejada pela professora em diálogo com as crianças. Essa é uma prática que pode se revelar uma potência para o encontro entre corpo, movimento, criatividade, expressão e as múltiplas linguagens.

Essa temática foi abordada por autores como Isabel Marques (1999; 2005) e Alba Vieira, Letícia Teixeira e Guilherme Teixeira (2010), que explicitam a dificuldade do grupo docente e gestor de mediar a dança nessa etapa da educação básica sem resumi-la às apresentações em datas comemorativas e às letras de música em movimentos. É uma situação que tem se modificado paulatinamente, mas que insiste em permanecer no contexto escolar.

Desse modo, aqui destacaremos alguns fundamentos da dança com a educação infantil a fim de despertar um olhar para os processos de criação nessa linguagem artística com a garotada de pouca idade, relevando situações da prática *in loco*. Pretende-se, com isso, contribuir para a construção de uma dança alinhada à infância no âmbito das intervenções educativas, a partir do cruzamento interdisciplinar entre dança, educação e infância, além de socializar experiências em contexto para fomentar a formação de professoras por meio do debate e da sistematização de outras propostas sensíveis e criativas.

TEMÁTICAS DA DANÇA NA EDUCAÇÃO INFANTIL

Para entendermos como desencadear processos de criação em dança com as crianças, torna-se relevante pontuar os saberes específicos da dança e a compreensão desta como uma linguagem artística, uma vez que são bases para a criação.

A dança como linguagem é um sistema de signos próprios que permite a comunicação por meio do corpo e dos movimentos. Isso significa que ela conta com um conjunto organizado de elementos com possibilidades de combinação potencialmente estética que produzem significado (Marques, 2010).

Nesse sentido, Thaís Gonçalves (2010, p. 3) compara a linguagem da dança a um caleidoscópio, no qual os seus elementos – saltos, giros, torções, deslocamentos, entre outros – "são peças de diferentes cores e formatos que, juntas, podem combinar-se em uma infinidade de arranjos, cada qual inusitado a produzir singularidades". Segundo a autora, "[...] as peças também podem ser trocadas a cada aula, a cada montagem de espetáculo, a cada situação de aprendizagem, ampliando ainda mais as possibilidades de novas experiências, novos encontros de corpos que irão embaralhar os códigos, desmontá-los e dar-lhes sentidos".

As crianças pequenas têm a função simbólica como eixo da sua ação na sociedade; assim, torna-se interessante a presença da dança em seu cotidiano, especialmente o educativo. Entretanto, interessa, mais que o resultado, o processo utilizado para atingi-lo: a consciência, a criatividade, a sensibilidade e a atenção.

Para facilitar a compreensão de *que* e de *como* criar, Carolina de Andrade (2016) apresenta os conhecimentos de dança em três aspectos, denominados *temáticas da dança*, divididos em: corpo, fundamentos da dança e criação em dança (este último aspecto será abordado no próximo tópico). Para a criação, o primeiro aspecto que a autora destaca é o conhecimento do corpo, uma vez que é nele que a dança se expressa.

Esse conhecimento do corpo passa pela noção das estruturas/ constituição corporal, envolvendo os sistemas ósseo, articular, muscular, proprioceptivo e exteroceptivo. Esse pode ser o primeiro passo para as crianças explorarem suas possibilidades de movimento. E, em consequência, favorecer ajustes posturais, graduação de tônus, percepção das partes do corpo e posicionamento das articulações para a realização de movimentos com menor ou maior esforço. O corpo, aqui, é pensado como uma unidade, composta por várias partes que se relacionam entre si.

A ideia é não ter pressa em ampliar o conhecimento que as crianças têm do corpo; esse processo é uma troca de aprendizados e pode levar tempo, dependendo de como a proposta é apresentada e de como as crianças a recebem. Caminhos que se encontram com o lúdico – cujos temas associam os ossos, as articulações, os músculos, os planos anatômicos e suas possibilidades de movimentação aos elementos da natureza – compõem estratégias pertinentes para materializar essa temática da dança, ainda abstrata para as crianças pequenas.

O segundo aspecto é denominado por Carolina de Andrade (2016) fundamentos da dança, e envolve o brincar com a gravidade, as relações espaciais, o ritmo e as associações de tempo.

Pela gravidade pode-se investigar as possibilidades do corpo, das articulações, estudar o peso e os apoios em relação ao chão, ao próprio corpo e aos objetos, bem como a resistência e as oposições ósseas, conscientizando a criança de seu eixo global, em diálogo constante com a força da gravidade. Ao tornar consciente o uso do espaço, as crianças, ao dançar, conseguem estabelecer relações espaciais com o eu, com outras pessoas e com o ambiente.

Ao explorar o ritmo e as relações de tempo na dança, meninas e meninos poderão empreender diferentes qualidades e dinâmicas do movimento, como velocidade, pausas, pulsos, intensidades e flexibilidade, reconhecendo gradativamente os limites e as potencialidades de seu corpo.

Os fundamentos permitem trabalhar as ações corporais – girar, saltar, rolar, espiralar, dobrar, balançar – e outras possibilidades de movimentos e ações cotidianas, como engatinhar, rastejar e sentar-se. Tais ações podem ser exploradas e ampliadas por meio das variações de formas, dinâmicas, espaço (níveis, planos, progressões), tempo e ritmos variados.

Fernanda Almeida (2013; 2016), por sua vez, organizou sua proposta em dança com a educação infantil em quatro elementos da dança: corpo, movimento expressivo, espaço e ritmo. O elemento *corpo* envolve a compreensão e a percepção da estrutura do corpo e do movimento, por meio das vivências com ações corporais, articulações, imobilidade, reconhecimento dos tamanhos, nomeação de ossos e músculos, sensibilidade proprioceptiva e exteroceptiva e adaptações ao contato improvisação. O *movimento expressivo* destaca a expressividade que a ação pode revelar em experiências com as diferentes graduações de tônus, peso, apoios, equilíbrios e ajustamentos posturais. Já o elemento *espaço* enfatiza o diálogo entre corpo e movimento com o espaço amplo, social e pessoal, na experimentação da cinesfera, das direções, níveis, planos, tensões espaciais, distâncias, progressões, formas e projeções. Por fim, o *ritmo* integra as relações com o tempo – súbito e sustentado (Laban, 1978) – e a percepção rítmica biológica e métrica.

Ao revelar essas duas possibilidades de organizar os conhecimentos da dança com a educação infantil, que ora se assemelham, ora se diferenciam, tais estudos destacam que o movimento em si não é dança, mas a combinação desses fatores – aliada às ações corporais, expressividade, criatividade e intencionalidade inerentes aos processos de criação – pode comunicar e gerar dança..

Assim, como qualquer outra manifestação artística, a dança é uma forma de conhecimento que envolve intuição, sensibilidade, emoção, imaginação e capacidade de comunicação, bem como o uso da memória, interpretação, análise, síntese e avaliação. Tais conhecimentos específicos podem ser estimulados em qualquer idade; o que diferencia o uso desses elementos com as crianças é o foco na abordagem, o "como" essa dança será oportunizada, seja em vivências sistematizadas, seja na composição de cenas/espetáculos.

CRIAÇÃO EM DANÇA

Para iniciar este tópico, enfocaremos a definição dos termos *composição* e *coreografia*, uma vez que pertencem aos processos de criação, mas se diferem. Para Isabel Marques (1999), a composição em dança pode articular ações corporais, gestos e frases de movimento em infinitas possibilidades de combinação. Dessa maneira, é possível compreender a composição como o conjunto de múltiplos processos por meio dos quais as e os artistas organizam os elementos da dança (Almeida, 2013), em constante pesquisa de movimentação.

Essa composição pode acontecer por meio da combinação: de células de movimento preestabelecidas, advindas da improvisação ou não; de movimentos incitados por meio de ritmos e estímulos sonoros internos (batidas do coração, sons de respiração etc.) ou externos (músicas, sons diversos); da relação das investigações de movimentação com o espaço; de regras estabelecidas previamente (ou não) ao processo criativo, entre outros.

José Gil (2001, p. 81) define o termo coreografia como "um conjunto de movimentos que possui um nexo, quer dizer, uma lógica de movimento própria". Já Paola Jacques (2009), descreve a coreografia como um projeto de movimentação corporal definido para um ou mais corpos. A criação dos passos e movimentos de uma coreografia pode ocorrer por meio de improvisação ou por atribuição de uma pessoa que coreografa.

A composição distingue-se da coreografia no que diz respeito à forma como esses elementos são criados, articulados, sequenciados e distribuídos no tempo e no espaço. A principal diferenciação entre esses termos é que a coreografia tem como resultado estético uma sequência pré-organizada e definida de passos ou movimentos; na composição, por sua vez, as movimentações não são impreterivelmente organizadas e definidas *a priori*.

Uma possibilidade interessante para a criação com a infância é que a/o docente medeie o processo, auxiliando as crianças a ingressar na atividade criativa da dança, construindo seus próprios caminhos, descobrindo suas poéticas e suas montagens em meio a uma constelação de ideias que escapa ao linear, ao literal e ao cronológico. Essa função mediadora visa auxiliar a garotada a organizar a vasta possibilidade de signos comunicáveis, que não precisam necessariamente envolver a imitação plena de uma ou um personagem, de uma história ou da letra da música.

Para se distanciar dessas mímicas pontuais e reproduções vazias, a pessoa mediadora pode instigar meninas e meninos a identificar os elementos da dança nas propostas temáticas dos processos de criação. Exemplificamos com uma coreografia sobre os animais aquáticos, em que podem ser reconhecidas as ações corporais de flutuar, expandir, recolher, balançar, ondular, deslizar e mergulhar, em peso leve e espaço indireto. A partir dessa distinção é possível desmembrar as características de movimentação dos seres a ser representados, rearranjá-las e reconstruí-las, criando combinações inesperadas. Trata-se de um jogo de perguntas e respostas que potencializa a investigação dos movimentos e a atividade criativa, legitimando a criança como artista-criadora de sua dança.

Tal atitude pode fomentar não só a ampliação das perspectivas sobre as *composições* ou *coreografias* inventadas pela criançada, mas também a formação do público que vai apreciá-las, tendo um efeito multiplicador.

A coreografia constitui um meio interessante de criação, desde que as crianças participem do processo e não sejam apenas reprodutoras de modelos focados em aquisição de habilidades, criados exclusivamente pelo grupo docente. A criação de uma coreografia deve ser apresentada como uma proposta baseada em conhecimentos anteriores, advindos das vivências, na qual se coloca a meninada como protagonista no processo de construção dos saberes.

Além do mais, para as criações em dança, as próprias crianças podem ser responsáveis pela escolha dos temas, discutidos em conjunto com as e os docentes. O importante é que haja participação ativa na elaboração do enredo, dos movimentos, da encenação e dos figurinos. Nesse sentido, quem medeia pode, por exemplo, favorecer e ampliar o conhecimento e a concepção das movimentações por meio de exercícios, jogos, vídeos e vivências (Andrade, 2016).

Um aspecto relevante no universo infantil é a ludicidade. Dentre as atividades lúdicas, que também são criativas, o jogo se configura como uma opção metodológica interessante e prazerosa para a criação. Nesse sentido, lançar mão de propostas que envolvem os jogos teatrais (Spolin, 2007; Slade, 1978; Boal, 2009, 2010), o jogo coreográfico (Tourinho, 2007), os jogos em dança (Faria, 2011; Barbosa, Godoy e Faria, 2009) e o brincar de dançar (Marques, 2011, 2019), entre outros, pode fomentar a incorporação de exercícios técnicos, que promovem a consciência corporal, nos fatores de movimento e na integração de linguagens artísticas, bem como o desenvolvimento de um corpo cênico, que convoca um estado de presença.

Em especial, os jogos de faz de conta ocupam lugar central na dança com as crianças pequenas, uma vez que conectam diretamente a brincadeira, a imaginação e a criação artística. Marsiel Pacífico (2012, p. 107), fundamentado em Walter Benjamin, afirma que o brincar, para esses seres de pouca idade, está para além do fazer igual, da imitação:

> A brincadeira é para a criança o lócus da potência de sua faculdade mimética, no qual ela inventa e reinventa personagens, sentidos, temporalidades e sensações, na imitação dos seres e das coisas segundo seu desejo, potência e criação. É o doce caminho lúdico traçado pelas crianças: conhecem o mundo ao mesmo tempo em que o inventam.

Isso posto, lançamos uma inquietação: se as crianças se situam tão confortavelmente nesse espaço de transmutação, criação, invenção e subjetividades, porque nós, gente grande, insistimos em trabalhar as famosas coreografias de final de ano de maneira repetitiva, reprodutiva, mimética e óbvia?

Para Nathalie Schulmann (2006), "é a angústia do adulto formador, seu senso agudo de responsabilidade, seu desejo de 'fazer bem feito' que conduz, frequentemente, à redução dos campos de expressão da criança". Um fazer "bem feito" no modelo adultocentrado.

Outra estratégia interessante na educação infantil é a improvisação, que permite a busca de movimentos pertencentes ao repertório individual, sejam eles do cotidiano, aprendidos em atividades físicas, explorados em brincadeiras, em um novo espaço e/ou com diferentes estímulos (Saraiva-Kunz, 1994), favorecendo a expansão do repertório de movimentos, a consciência corporal e a transformação dos elementos da dança em linguagem.

Em relação à integração de linguagens, é possível realizá-la utilizando o movimento como ponto de partida para sensibilizar a meninada para o ritmo, as paisagens visuais, a representação cênica e a literatura – os quais oportunizam a educação dos sentidos, enriquecendo e diversificando a sensibilidade sobre si, a/o outra/o e o entorno e potencializando a multiplicidade expressiva infantil.

Ademais, acreditamos que a apreciação estética na infância possibilita a compreensão das relações entre dança, pessoa, artista e público. Por meio de uma fruição para além do senso comum, a apreciação pode proporcionar uma visão artística da dança, contextualizando-a como manifestação cultural presente na sociedade (Godoy, 2010). Essa experiência estética contribui para que as crianças estabeleçam conexões entre as experiências corporais vivenciadas que podem se transformar em criação.

Adiante, abordaremos recortes de dois diferentes processos de criação em dança no contexto educativo com crianças de 5 anos de idade que se desenvolveram ao longo da pesquisa de mestrado de Fernanda Almeida (2013). Tais processos estão alinhados aos princípios anteriormente elencados, sobretudo no que tange à garotada como centro do processo, participando ativamente das decisões e em diálogo com a professora.

Dessa maneira, apresentaremos trechos da pesquisa organizados em: escolha do tema, processo e apresentação.

OS PROCESSOS DE CRIAÇÃO EM DANÇA COM AS CRIANÇAS PEQUENAS

Ao pesquisar os princípios metodológicos de abordar a dança com a educação infantil, Fernanda Almeida (2013) experimentou dois

FERNANDA DE SOUZA ALMEIDA (ORG.)

caminhos: o primeiro configurou-se como o projeto-piloto da investigação, e recebeu o nome de Dança Criativa[3]; o segundo, a nova proposta elaborada a partir das reflexões de tal projeto – em diálogo com recortes das teorias de Henri Wallon (1975; 2007), Rudolf Laban (1978; 1990), Isabel Marques (1999; 2005; 2010) e Kathya de Godoy (2007; 2010; 2011), entre outros –, foi denominado Planeta Dança.

O curso Dança Criativa foi realizado com uma turma de 16 crianças, em uma escola particular, percorrendo os meses de fevereiro a dezembro, em 35 encontros semanais, no contraturno. Já o Planeta Dança contou com a participação de 35 crianças matriculadas em uma Escola Municipal de Educação Infantil (Emei) e foi oferecido durante os meses de agosto a novembro, em 30 encontros realizados duas vezes por semana, inseridos na matriz curricular. Ambos aconteceram na cidade de São Paulo com encontros de 45 minutos cada.

No caso do Dança Criativa, a gestão, as famílias e as crianças ansiavam por uma apresentação de final de ano, pois era essa a cultura do local. Assim, perguntavam por esse momento desde o retorno das férias de julho.

O contrário aconteceu com o Planeta Dança, que não contava com esse tipo de produção. Desse modo, a decisão de iniciar um processo de criação partiu do interesse despertado nas crianças durante os momentos de apreciação estética, nos quais questionavam a comunicação, a relação entre artista e público, a construção das cenas e a escolha de figurinos, entre outros.

Nesse contexto, para coroar o encerramento do Planeta Dança, Fernanda Almeida (2013) propôs que a meninada vivenciasse a construção e apresentação de uma coreografia, propondo que tal oportunidade fosse uma ocasião privilegiada para as crianças serem apreciadas e vivenciarem mais uma possibilidade da dança como linguagem artística. E, ao anunciar a sugestão de se apresentarem para as/os colegas de outras turmas da instituição, as meninas e os meninos participantes vibraram! Contudo,

DANÇARELANDO

G. M. C.[4] interrompeu a comemoração, alertando-os de que precisariam, então, ensaiar. Pedi que pensassem em um tema e, no final da aula, T. Y. R. sugeriu "marionetes", alegando que os bonecos de madeira poderiam dançar em peso firme e com as articulações [um dos elementos da dança experimentados por eles ao longo do curso]. As demais crianças aprovaram a ideia e acrescentaram que poderiam pensar em outros brinquedos que dançavam. Diante de tais questões, eu disse que começaríamos a nos organizar relembrando alguns aspectos da dança já vivenciados. (Diário de campo, 1/11/2012).

No projeto-piloto Dança Criativa, a sugestão do tema foi elencada pela pesquisadora, uma vez que percebeu, durante o desenrolar do curso, um interesse da garotada pelos jogos infantis das culturas populares. Esse assunto veio à tona por intermédio de uma criança que entrou em contato com esse universo durante as férias na fazenda de um parente, trazendo tais aprendizados para os encontros. A partir de tal iniciativa, os jogos passaram a ser experimentados e transformados em dança, o que resultou na sugestão para o mote de construção da cena.

Com o tema aprovado, o grupo listou coletivamente, em uma roda de conversa, os jogos preferidos de cada um/a; em seguida a pesquisadora perguntou qual deles as crianças gostariam de transformar em dança e, em uma votação rápida, a amarelinha foi eleita.

Ambos os exemplos de escolha de tema para a apresentação germinaram das ideias e curiosidades das próprias crianças; não houve construções prévias realizadas pela adulta. Foi um processo permeado de diálogos e mediações para duas construções coletivas que revelaram as especificidades do universo infantil.

Nesse exercício de estimular e investigar conjuntamente as prioridades das crianças, o olhar, o receber e as escolhas tornam-se recursos de investigação (Larrosa Bondía, 2003). Isso porque receber implica colocar-se à disposição daquele que vem, considerando que cada criança é um ser singular e que a todo momento os diálogos precisam ser estabelecidos e realinhados conforme as necessidades que surgem.

Nesse sentido, para auxiliar a elaboração de um tema com um enfoque na criança, é importante embrenhar-se no universo infantil, ouvindo-as e oferecendo pistas para ajudá-las a estabelecer relações de experiência com o entorno (Andrade, 2016). Isso requer de docentes o acionamento de seu repertório de vida, aliado às pesquisas diretamente ligadas ao tema, no sentido de incorporar em suas práticas vivências significativas. Implica um olhar atento para o contexto da educação e para as crianças. Com base nas necessidades que a meninada apresentar, a professora organiza os aspectos do tema escolhido que serão aprofundados. Assim, articula-se o que se pretende, por que e como trabalhar a dança partindo de uma temática advinda da curiosidade das crianças.

Dando prosseguimento ao processo de criação, no projeto-piloto Dança Criativa a pesquisadora, em conjunto com a criançada, retomou uma vivência anterior com placas de EVA coloridas, recortadas em forma de retângulo. Organizou com as crianças o material no chão no formato da amarelinha e sugeriu que iniciassem a coreografia simulando o jogo. Quando houve uma mudança na música, L. F. propôs que todas pegassem as placas do chão e dançassem com elas. A docente as orientou a finalizar o jogo e a caminhar cada uma para um retângulo, marchando como soldados, uma vez que a música indicava tal movimento. Todas juntas abaixavam, pegavam as placas e corriam pelo espaço distribuindo-se homogeneamente. Cada criança escolheu o lugar onde gostaria de dançar nesse momento.

A pesquisadora perguntou que tipo de movimentação poderiam explorar a partir de então, e M. E. V. lembrou-se de uma atividade anteriormente realizada sobre desenhar no ar. E assim o fizeram, utilizando as plaquinhas e explorando as direções.

Em uma nova alteração na sonoridade da música, a educadora sugeriu que todos colocassem juntos os EVAs no chão. As crianças foram questionadas pela pesquisadora sobre as possibilidades de explorar os níveis (alto, médio e baixo) e várias ideias surgiram. A garotada optou pela proposta de L. P. de colocar a plaquinha na cabeça e descer chacoalhando o corpo todo. Em seguida, incentivou-se que elas imaginassem a placa como ponto de apoio da cinesfera e dançassem explorando a máxima extensão do espaço pessoal, por meio de equilíbrios, saltos e ênfase nos braços, pernas e outras partes do corpo. Para finalizar a coreografia, C. P. pediu que mudassem de placa, uma vez que ela queria dançar na cor vermelha. A pesquisadora propôs que trocassem de lugar utilizando as ações corporais da amarelinha (saltar) e, quando chegassem, realizassem quatro movimentos inspirados no lançamento da pedrinha, mudando novamente de placa. Isso aconteceria até a música acabar, momento em que elas elaborariam uma pose final.

Já no Planeta Dança, a composição se inspirou em um tema do faz de conta, em que os brinquedos ganhavam vida e dançavam. Contudo, como as meninas e os meninos desse contexto não tinham o costume de apresenta-se, o processo iniciou-se com a apreciação de vídeos de outras crianças dançando e com a proposição de exercícios inspirados nos jogos teatrais de Viola Spolin (2007), nos quais umas assistiam às outras dançando.

Na sequência, a meninada conversou sobre que brinquedos poderiam representar dançando e, a partir de tais falas, a pesquisadora perguntou quem gostaria de ser cada um dos citados. Ela dizia, por exemplo: "Eu gostaria de três crianças que imitassem uma bola, três que representassem uma marionete" e assim por diante.

A partir disso, a educadora propôs que todas se distribuíssem pelo espaço e que aquelas que encenavam brinquedos iguais ficassem distantes entre si. Cada uma criou a sua pose inspirada no personagem que representaria e ela sugeriu possíveis mudanças de nível ou do peso que o "brinquedo dançaria se tivesse vida".

A pesquisadora mostrou a música (escolhida por ela, uma colagem musical com sons de bonecos de corda, fábrica de brinquedos, piano e violão) e todas aprovaram. Nos sons de "dar corda", T. Y. R. sugeriu que cada criança mexesse uma parte do corpo e G. M. C. propôs que, em seguida, todas dançassem como brinquedos.

O terceiro momento da coreografia foi elaborado pela pesquisadora inspirada em uma fala de T. Y. R., que queria dançar como marionete. Desse modo, organizou as crianças em duplas, levando em consideração a proximidade espacial, e solicitou que decidissem quem seria a marionete e quem seria o condutor.

Com isso, pediu que as "marionetes" se sentassem com pernas e braços afastados lateralmente e os condutores imaginassem que estavam segurando fios presos aos braços do brinquedo. Todas juntas levantaram o membro superior direito, o esquerdo, os dois... E a "marionete" ficou em pé. As crianças riram bastante, alegando que parecia de verdade.

Observando o desenrolar do processo, a pesquisadora investiu um pouco mais na construção do personagem e na diferença que os movimentos de cada brinquedo poderiam apresentar. Para isso, no encontro seguinte, logo que chegou à Emei, foi à brinquedoteca e pegou alguns brinquedos que as crianças escolheram para representar, entre eles uma boneca de pano, um ursinho de pelúcia, uma marionete, um boneco de super-herói e um carrinho.

Em companhia das crianças, conversaram sobre os personagens e a representação. Explicou que, para que a dança ficasse interessante, o público precisaria pensar que elas eram brinquedos "de verdade", que houvesse essa comunicação. Pediu então que observassem as formas, o peso, as tensões espaciais que cada objeto poderia conter para se aproximar do real.

Com essa questão compreendida, iniciaram o ensaio. As crianças sugeriram dançar o "gruda-gruda" (apelido dado por elas às vivências adaptadas do contato improvisação) após a cena da manipulação das "marionetes" e, em seguida, a pesquisadora propôs que finalizassem a coreografia dançando individualmente, enfatizando os níveis e ações corporais, até que a música acabasse.

Algumas crianças compreenderam tão bem a questão do personagem que até sua expressão facial mudou.

O desvelar de ambas as construções coreográficas, tanto do Dança Criativa como do Planeta Dança, fomentou uma participação ativa das crianças, que, integradas e envolvidas com o processo de criação, interagiram e compartilharam escolhas inclusive na seleção do figurino, do penteado e do cenário.

Esse processo dialógico oportunizou o contato dessa meninada com as habilidades de propor, opinar, escutar, ceder e combinar (Godoy, 2010); as crianças foram respeitadas como sujeitos com desejos, ideias e capacidade de decidir (Costa, 2016). Houve uma mediação sensível da pesquisadora, que buscou articular os elementos da dança: ações corporais, articulações, partes do corpo, espaço amplo e pessoal, direções, contato improvisação e ritmo com a comunicação e a imaginação, em células coreográficas baseadas na improvisação.

Ademais, fomentou-se um estudo sobre o tema e as possibilidades de movimentação vinculadas a ele, o que contribuiu para que a criança compreendesse por que estava realizando cada ação, promovendo um sentimento de pertencimento e apropriação da criação.

No momento das apresentações de ambos os projetos, a pesquisadora observou certa ansiedade na garotada, a qual se manifestou em um misto de timidez, receio e euforia. Dessa forma, orientou-as a se concentrar e aproveitar a oportunidade. Foram instantes prazerosos que ajudaram as crianças a lidarem com os sentimentos decorrentes da exposição em público. Ao final, todas apontaram a apresentação como a ocasião mais especial do curso e relataram sua satisfação de participar.

Nesse contexto, a apresentação pode ser um momento privilegiado para propiciar a vivência da dança como linguagem artística, permitindo às crianças aprender sobre as relações entre artista e público, como o corpo se organiza em cena, o que são e como acontecem os bastidores, a elaboração de uma coreografia, vivenciar o ensaio, a preparação, os momentos pré-palco e os agradecimentos. Assim, é interessante que essa modalidade pertença ao universo "dançante" infantil.

Portanto, a experimentação "da dança pelas crianças não pode estar determinada pela marcação e definição de coreografias pelos adultos" (Brasil, 1998, p. 30), pois, se "considerada uma atividade de técnicas e passos predeterminados relacionados a cada estilo – o que acontece frequentemente –, a dança se torna uma prática inadequada para a faixa etária" (Vieira, Teixeira e Teixeira, 2010, p. 3).

Assim, ao pensar o processo de ambas as apresentações, a pesquisadora procurou valorizar o papel comunicativo e simbólico das coreografias, relacionando seus signos: sua elaboração foi consequência e parte do processo de vivência. Tratou-se de um processo (curso) que se completou com o produto (apresentação) e de um produto que revelou o processo de abordagem da dança (Marques, 1999; Vieira *et al.*, 2012).

Tais fatos foram também compartilhados por Alba Vieira *et al* (2012) ao trabalhar a apresentação da meninada de educação infantil na 7ª Mostra Ladrilho, Ladrilhando e Brincando, ocorrida em Viçosa (MG):

> Nas apresentações, como artistas, as crianças mostraram obras variadas que foram fruto de processos colaborativos com seus professores de dança nos vários laboratórios criativos desenvolvidos ao longo de cada semestre. As apresentações das crianças na mostra englobaram elementos criados por elas mesmas durante as aulas, por meio de estímulos das professoras-pesquisadoras. Durante a elaboração das "coreografias", decidíamos com as crianças o figurino, a maquiagem e os elementos cênicos. Esses momentos propiciaram reflexão crítica sobre o universo da dança. Alguns ensaios das apresentações eram feitos no teatro, e se tornaram momentos ricos de aprendizagem para os alunos sobre iluminação, marcação de palco, entradas e saídas de palco, como se comportar nesse espaço, dentre outros. (p. 3)

Ademais, destacamos que a pesquisadora optou por usar principalmente músicas instrumentais, possibilitando que as crianças criassem movimentos sem executar gestos para as palavras da música.

EMBALANDO UM SONHO: A CRIAÇÃO DA DANÇA COM OS PEQUENOS

Partimos da premissa de que existem conhecimentos específicos em dança que podem ser articulados para a criação artística e vivenciados com a garotada por meio de estratégias que vão ao encontro das características e necessidades do universo infantil.

Por meio da articulação entre dança, jogo, ludicidade e educação, apresentamos algumas possibilidades de as crianças exercitarem a imaginação e ressignificarem o entorno fazendo uso do corpo em um espaço de interação, protagonismo, investigação e construção de conhecimentos sobre si e sobre o ambiente que as rodeia.

Nesse processo, o corpo docente se apresenta como um interlocutor, que dialoga e medeia objetivando expandir as experiências das crianças. Essa experiência é apresentada como uma aventura, uma viagem aberta em que existe a possibilidade de se deixar influenciar a si próprio, se deixar seduzir e solicitar pelas crianças (Larrosa Bondía, 2003): um convite a entrar no universo infantil a fim de compreendê-lo e proporcionar vivências dançantes que contribuam para a construção da autonomia, identidade e criatividade de meninos e meninas de pouca idade.

Esse modo de abordar a dança pode permitir que as crianças se conheçam sensivelmente, percebam e tenham consciência do seu corpo, experimentem movimentos expressivos, desenvolvam a sensibilidade estética[5], potencializem-se como seres criativos, exercitem diferentes formas de criação e composição, a fim de que sejam produtoras de conhecimentos e cultura. O intuito é auxiliar as crianças a compor uma dança própria por meio da ludicidade, considerando-as não apenas fruidoras e receptoras, mas agentes participantes.

É nesse sentido que destacamos a contribuição deste texto para a construção de uma dança alinhada à infância no âmbito das intervenções educativas, a partir do cruzamento interdisciplinar entre dança, educação e infância – e também para a socialização de experiências em contexto a fim de fomentar a formação docente por meio do debate e da sistematização de outras proposições sensíveis e criativas.

9. DANÇARELANDO NA CENA INFANTIL: DESAFIOS DA CRIAÇÃO ARTÍSTICA PARA A CRIANÇA PEQUENA[1]

Fernanda de Souza Almeida
Princesa Ricardo Marinelli

CHACOALHANDO NOSSO PEDESTAL ADULTOCÊNTRICO

O ponto de vista das crianças é um aspecto que há algum tempo tem despertado a atenção do Grupo de Pesquisa em Dança: Arte, Educação e Infância (GPDAEI). Temos nos questionado a respeito do que concebemos, elaboramos e produzimos para a criançada – das vivências em dança que propomos nos ambientes educacionais formais e não formais a espetáculos e passeios, entre outros.

Será que conseguimos perceber e acessar os tempos, os reais interesses e as curiosidades das crianças? Estamos de fato oferecendo uma escuta sensível a essa gente que tem entre 12 meses e 5 anos de idade, nas suas diversas expressões, produções e manifestações das suas múltiplas linguagens? Ou estabelecemo-nos, pessoas adultas, como seres "completos", capazes de fixar critérios do que seja melhor para a garotada, portadores dos caminhos mais adequados de lhes apresentar o conhecimento? Será que, ao pensar em arte *para* e *com* crianças, partimos apenas das lembranças de nossa infância, bem como do que imaginamos sobre meninas e meninos para conceber ações destinadas a tal fase da vida? Além disso, como abordamos o brincar em nosso corpo apagado pela vida em sociedade, pela rotina de trabalho e as demandas da vida adulta? Como ousamos oferecer tal aspecto às verdadeiras mestras da brincadeira?

Impulsionado por tais incômodos, no ano de 2018, o referido grupo de pesquisa sentiu a necessidade de iniciar uma pesquisa acerca da produção artística em dança destinada a bebês, crianças bem pequenas e crianças pequenas – grupos etários que têm sido o foco de atendimento do nosso projeto de extensão nos diferentes CMEIs da cidade de Goiânia.

Com isso, motivadas a investigar os caminhos possíveis para a elaboração de um espetáculo de dança feito por gente grande para gente pequena, inauguramos o Dançarelando em Cena – uma proposta embrionária, na qual sabíamos que o foco seriam os processos criativos e investigativos, sem a preocupação de formatar um produto final. Nosso principal resultado seria a própria pesquisa. Queríamos, a princípio, estudar o tema, conhecer a produção realizada até o momento, experimentar algumas ideias e embarcar num processo de criação em dança.

Mas quais são as principais implicações de uma organização criativa coreográfica? Com o que ela se articula ou pode se articular? Onde termina e onde começa a criação? Afinal, o que é coreografar, num sentido mais amplo das funções possíveis de uma obra de arte? Na concepção de dança com a qual temos trabalhado, dar tratamento coreográfico a uma ou a várias ideias envolve uma série de relações complexas. Não se trata unicamente de transpor pensamentos para os corpos em movimento, mas de organizar esses pensamentos em diferentes esferas inter-relacionadas.

Entendemos que um projeto criativo em dança é, antes e acima de outras coisas, um projeto artístico. E, como tal, se compõe de diversos elementos, etapas e camadas que se articulam numa complexidade que vai além do momento da encenação. O projeto artístico transborda o que se entende por resultado e envolve princípios, projeções, estruturas, práticas e estudos próprios ao campo da arte como campo social, constituindo um fazer no qual se inserem e são construídas nossas escolhas, nosso engajamento, nossa forma de agir (na arte e no mundo).

Levando isso em conta, o processo criativo-ético-estético de um projeto coreográfico acontece em diversos territórios: no estúdio, em casa, na rua, na sala de aula, no restaurante, na internet e no que se escreve sobre ele. Ele se abre para agregar pessoas e imaginários, questões e ações, aproximando e interrogando as práticas e os modos de operação do campo da dança e da arte contemporânea, acreditando e perseguindo algo que vai além da representação cênica: uma obra complexa, cúmplice de seu contexto.

De que instrumentos e estratégias nos temos valido para estabelecer e construir nossas obras? Que tipos de atitudes, materiais, combinações entre ações, objetos e músicas, presença e ausência de corpos, imagens, fotografias, vídeos? De que elementos podemos nos servir para encontrar uma forma específica de *tornar visível o invisível* (nas palavras de Paul Klee) e, ainda assim, considerar essa produção uma obra artística cuja dança é a principal linguagem? Isso importa?

Tratava-se do início do Dançarelando em Cena, do reconhecimento tanto das possibilidades e potências dos processos de criação em dança para a formação das/dos estudantes envolvidas/os com o projeto como da vitalidade da experiência estética para a trajetória de meninas e meninos de pouca idade.

Criar é uma atitude diante da vida. Pensar criativamente é uma forma de perceber e construir os entornos. A linguagem poética é desvio, é devir, é uma maneira outra de falar do mundo. Tais dimensões, que concebemos como fundamentais para um mundo de pessoas mais sensíveis e empáticas, precisam ser oferecidas desde a tenra infância. A experiência estética proposta para crianças pequenas contribui para que elas se compreendam como criadoras, vislumbrando universos e experimentando sensações.

Desse modo, este texto aborda a questão central do Dançarelando em Cena: quais são os desafios de criar em dança para a pequena infância?

Tal assunto se faz relevante pela recém-iniciada trajetória da dança cênica para crianças no Brasil. Segundo Lilian Vilela (2014), foi no final dos anos 1990 que certos artistas profissionais, em especial a Balangandança Cia. (SP), começaram a investir na pesquisa da dança contemporânea para a criançada, apresentando seus espetáculos em festivais e mostras de teatro infantil. Com o passar dos anos, o número de grupos, companhias e pessoas que concebem, produzem e dirigem obras em dança para essa plateia vem se tornando expressivo. Como observa Júlia dos Santos (2017),

> [...] não é de hoje que a arte se volta para produções dedicadas ao público infantil; no entanto, pode-se afirmar que nunca houve no Brasil tanta oferta bem como acesso facilitado a tais produções. Pode-se constatar esse fenômeno pela consulta aos inúmeros guias culturais, de órgãos públicos e privados, que ofertam espetáculos, shows, lançamentos de livros e exposições que têm a criança ou "a família toda" como público-alvo. (p. 18)

Todavia, ainda é comum observar espetáculos que agradam mais às/aos acompanhantes do que às próprias crianças, já que despertam memórias de infâncias passadas, com estruturas coreográficas concebidas a partir da lógica de pensamento adulto, que por vezes é cansativa e desperta pouca curiosidade nas infâncias atuais.

Além disso, a produção acadêmica sobre o tema é escassa, particularmente no campo da dança, sobretudo se a compararmos com o vertiginoso crescimento das pesquisas acerca da cena para a infância no teatro. Como aponta Júlia dos Santos (2017), uma busca nas bases de dados da Universidade de São Paulo (USP), da Universidade Estadual de Campinas (Unicamp), do portal Scielo, do Google Scholar e de congressos da área revelou que as investigações, "em sua grande maioria, versam sobre Arte/Educação ou, em poucos casos, a perspectiva das produções artísticas de crianças" (p. 17).

Edmir Perrotti, já em 1984, afirmava que a carência de perspectivas teóricas mais aprofundadas a respeito da temática pode ser atribuída a uma menor tradição de tais estudos na área. Também influi o fato de que o reconhecimento da educação infantil como primeira etapa da educação básica é relativamente recente: foi a partir da promulgação da a Lei de Diretrizes e Bases da Educação Brasileira (Lei n. 9394/96) que os estudos sobre concepções atuais e direitos da criançada foram alavancados.

Nesse contexto, os apontamentos deste escrito vêm de um entrelaçamento de ações: estudo do referencial bibliográfico, debates no grupo de pesquisa e vivências práticas de ideias provenientes de *insights* do que vimos em nossos projetos com as crianças, trocas de experiências e reflexões. Dessa maneira, este capítulo pretende despertar um olhar mais aprofundado para aspectos que identificamos como relevantes para disparar um processo de criação em dança para crianças pequenas, a partir do desenrolar do Dançarelando em Cena.

Partindo-se do princípio de que a realização de um objeto artístico – seja ele efêmero ou não – envolve experienciar tempos, espaços, materiais, pensamentos e acontecimentos, e que os processos artísticos são únicos em cada experiência, é relevante viabilizar o registro e o estudo de tais processos. Com isso, no que concerne à metodologia de compartilhamento de investigação, apontamos o relato de experiência como uma escolha viável para pensar a arte como ambiente de pesquisa.

Um relato de experiência pertence ao domínio do social, fazendo parte das experiências humanas e articulando-as, e deve conter tanto impressões observadas quanto conjeturadas. Esse tipo de estudo é importante para a descrição de uma vivência particular que pode suscitar novas indagações acerca de um fenômeno específico. Nesse caso, o foco é a experiência vivida e a reflexão sobre ela (Zamboni, 1998).

Isso posto, consideramos que a experiência – nas concepções de John Dewey (2010) e Jorge Larrosa Bondía (2002) – da prática artística é passível de investigação em si e pode, em seus processos, conter elementos e caminhos que possibilitem tomá-la como índice plausível de criação de metodologia de pesquisa.

Tendo em vista os pontos de partida anunciados, pretendemos contribuir para a ampliação de discussões e reflexões acerca do tema, reconhecendo que a experiência estética em dança pensada especificamente para e com crianças é campo fértil e importante a ser explorado.

QUEM SÃO AS CRIANÇAS?
O INÍCIO DA CRIAÇÃO

Se presumirmos que, nesse tipo de processo de criação, existe uma especificidade em função do público, um dos primeiros e centrais aspectos a ser pensado é: quem são as crianças? Quais são suas características, interesses, necessidades? A esse respeito, alinhamo-nos aos estudos sociais sobre a garotada, em especial à sociologia da infância, que as destaca como seres de saberes complexos, vinculados ao contexto social e profundamente enraizados em seu tempo, espaço e formas particulares de cultura. E são as múltiplas linguagens os elos das crianças com o seu entorno e com os processos de interação da cultura (Perrotti, 1984).

Mais do que isso, Jorge Larrosa Bondía (2003) aponta as crianças como verdadeiros enigmas que não podem (nem devem) ser cooptados pela pessoa adulta, embora achemos que sabemos tudo a seu respeito e, por isso, nos autorizemos a interferir "eficazmente" em seus processos. São "seres estranhos dos quais nada se sabe" (p. 183). Se dominamos tanto as teorias sobre as fases da infância e as metodologias de abordagem com esses seres, porque nos sentimos tão instáveis/desconfortáveis ao ofertar ações com/para eles?

Isso acontece porque, segundo Larrosa Bondía (2003), essa gente miúda se caracteriza essencialmente por sua capacidade de alteridade e enorme diferença em relação a nós. As crianças têm outra maneira de construir o pensamento, de apreender e compreender o entorno e se relacionar, uma vez que transitam sensivelmente pelo campo das percepções, dos sentidos, do imaginário, da fecundidade onírica e das formas expressivas de ações e gestos corporais (Vilela, 2014), sempre tomadas pela perspectiva de outras temporalidades.

Trata-se de uma maneira peculiar de significar, ordenar e produzir conhecimentos – não melhor nem pior, nem menos completa que o pensamento adulto; apenas diferente. E é exatamente essa qualidade que nos faz sentir grande impotência, pois tais ordenamentos, quando tratados em sua especificidade, escapam à nossa lógica, surpreendem-nos. Desse modo, não temos de nos dedicar a "entender" as crianças, pois quando pensamos que já as apreendemos, elas mudam. Isso abre uma infinidade de caminhos e possibilidades para abordar, oferecer e criar para a criançada.

A exemplo disso, em uma das reuniões do grupo de pesquisa, propusemos duas vivências: na primeira, solicitamos que se organizassem em trios e escolhessem um objeto corriqueiro, muito utilizado no cotidiano. As participantes selecionaram canetas, carregadores de celular, escovas de cabelo, entre outros. Na sequência, pedimos que usassem esse objeto para outro fim que não o de sua criação original; que dessem outra utilidade a ele de maneira criativa. As integrantes do grupo transformaram a caneta em prendedor de cabelo, o absorvente íntimo em algodão ou papel para limpar um machucado ou sujeira da pele. Enfim, mantiveram certa funcionalidade para o objeto, uma possibilidade de uso ainda objetiva e racionalizada. Na mesma vivência sugerida às crianças, o cabo de celular se transformou em corda para laçar o boi, a caneta, numa flecha; ou seja, conectaram-se mais ao campo do devaneio. Esse momento foi marcante e revelador sobre como acessamos, articulamos e estruturamos o raciocínio baseados em outros nexos.

Na segunda experiência, também submetemos essas pesquisadoras a uma mesma vivência ofertada às crianças em uma das instituições de educação formal: nela, contamos uma história e mostramos imagens de um livro desenhado por uma das bolsistas do projeto. Em uma delas, particularmente, havia a pintura abaixo:

Diferenças no olhar de adultos e crianças

Enquanto nós enxergamos um cabelo azul enfeitado com flores, as crianças viram um céu cheio de borboletas, alegando que a moça era careca.

Dessa maneira, um dos desafios de criar para a infância é tentar se deslocar do ser adulto que tudo sabe sobre essa gente de pouca idade, se aproximar e se permitir uma escuta sensível dos modos de pensar e agir das crianças de cada contexto; observar com um olhar menos viciado, mais atento e aprofundado, como se movimentam, o que dizem, como brincam e se relacionam; bem como se disponibilizar ao inusitado, às mudanças, lançando-se literalmente ao desconhecido, despindo-se de concepções, padrões, estereótipos e normativas do que seja a infância.

Tal peculiaridade do comportamento infantil não se dá apenas no aspecto lúdico da compreensão de mundo, mas em diversos outros aspectos, como a interpretação e a reelaboração da realidade na cultura de pares (Corsaro, 2011).

Partindo do pressuposto de que a produção midiática e capitalista se baseia nas culturas infantis, afetando-as e sendo influenciada por elas, a cultura de pares é um processo de reprodução interpretativa na qual meninas e meninos se apropriam de maneira criativa do que observam no convívio com as pessoas adultas, fazem suas negociações, compartilham e recriam à sua maneira, em interação com as demais crianças (Dornelles e Miceli, 2016). Desse modo, elas participam das culturas adultas ao mesmo tempo que as imitam e as ampliam, produzindo as culturas infantis.

Tais aspectos permitem-nos refletir acerca do papel da família, das instituições educativas e da relação desses seres com os demais componentes da sua rotina para a formação dessas culturas e seus modos de agir e pensar.

A esse respeito, podemos intuir que, em um processo de criação para elas, é interessante mergulhar nessa outra lógica de pensamento e observar com sensibilidade suas formas de comunicação sutis, reveladas mais pelo corpo do que pela palavra; observar o que trocam, como trocam e produzem em seus encontros, além das influências da mídia, da indústria cultural e de pessoas adultas que permeiam seu cotidiano; estar com a meninada e aceitar o que ela tem a nos ensinar.

Nessa tríade criança-adulta-mídia, nosso ponto de partida para um possível espetáculo emergiu da percepção, especialmente em um dos CMEIs, de um grande interesse das crianças pelo tema água (seus diferentes estados e as relações com as percepções sensoriais; suas funções e associações com outros elementos da natureza).

A partir disso, passamos a propor experimentações, gestualidades, corporificações lúdicas e composições de sequências de movimentos inspiradas na água e em suas sensações táteis, com estímulos visuais e auditivos. Nesse processo, além de uma escuta sensível e séria aos comentários, questionamentos, considerações e movimentos da criançada, procurávamos chegar mais cedo e/ou ficar um pouco depois das vivências, observando como reelaboravam nossos encontros dançantes na interação entre si e com as adultas. Também buscávamos o ponto de vista das educadoras a respeito do tema, das oficinas, da relação com seus projetos, entre outras conversas que despontavam de maneira informal. Todos esses aspectos eram registrados em cadernos de campo, fotografias e filmagens. Além disso, trocávamos impressões e reflexões, o que trouxe à tona alguns *insights* para a criação.

Outro foco de pesquisa artística foi o que provinha da mídia e compunha e inspirava as brincadeiras e as trocas entre as crianças: naquele momento, o filme *Moana*, da Disney, estava em voga. Com isso, o assistimos buscando os trechos nos quais a dança era evidenciada, identificando as principais qualidades de movimentos e corporalizando as gestualidades presentes nele. A partir disso, criamos células coreográficas, explorando as diferentes espacialidades.

A EXPERIÊNCIA ESTÉTICA EM DANÇA PARA/COM CRIANÇAS

Analisando obras de arte concebidas para meninas e meninos de pouca idade, na dança e fora dela, percebe-se a recorrência de estratégias de comunicação exageradamente didáticas, que muitas vezes subestimam a capacidade de compreensão e elaboração dos seres completos e complexos que são as crianças. Parece que, na maioria das obras, as ideias e experiências na cena precisam ser explicadas, comentadas e descritas para que a criançada "compreenda" o que "queremos dizer". Além disso, estamos sempre tentando justificar cada proposta oferecida. Justificamos a relevância da dança na jornada educativa, justificamos os motivos de trabalhar sobre o eixo do lúdico e do brincar, destacamos os benefícios de uma abordagem que se aproxime dos elementos da natureza e apresentamos muitas outras justificativas intermináveis em função de um possível futuro da criança, de seu desenvolvimento e dos ganhos para uma vida adulta plena e feliz!

Na nossa leitura, trata-se de um hábito, uma insegurança e um desejo fomentados por pessoas adultas que esqueceram de sua infância e só se preocupam com números, como diria o Pequeno Príncipe. Pessoas preocupadas com quando as crianças saberão os nomes das cores, das formas geométricas, ler, escrever e tantas habilidades técnicas. Todavia, ao perguntarmos para tais seres grandes do que mais sentem falta, em sua trajetória educativa, para desempenhar as profissões que exercem, comentam sobre criatividade, flexibilidade, gestão das emoções, capacidade de liderança etc.

Ou seja, a didatização do mundo é mais uma necessidade adulta do que infantil, especialmente porque as crianças transitam muito bem entre as subjetividades e os devaneios imaginários e poéticos.

A esse respeito, pensamos que a experiência estética oferecida para a meninada precisa, ao contrário, estimular outras formas de pensar e vivenciar o entorno, menos engaioladas, categorizadas e explicadas racionalmente. Nesse sentido, surge o desafio de, no processo de criação para crianças, adotar protocolos de improvisação e composição coreográfica que não se baseiem em um desdenho da potência imaginativa infantil, e sim numa autêntica experiência estética.

A experiência estética na dança é o acontecimento de transcender a experiência prática, que separa a pessoa do objeto observado. Segundo Duarte Jr. (1995, p. 93), na experiência estética a pessoa funde-se com o objeto observado: "Nela os meus sentimentos descobrem-se nas formas que lhes são dadas, como eu me descubro no espelho. Através dos sentimentos identificamo-nos com o objeto estético, e com ele nos tornamos um". Assim "é a experiência estética: uma suspensão provisória da causalidade do mundo, das relações conceituais que nossa linguagem forja. Ela se dá com a percepção global de um universo do qual fazemos parte e com o qual estamos em relação" (*ibidem*, p. 91).

Acreditamos que, diante da dança, artistas e plateia deixam seus sentimentos vibrar em consonância com as harmonias e os ritmos nela expostos. O público encontra, nas formas artísticas, elementos que concretizam — que tornam objetivos, perceptíveis — os seus sentimentos. Essa ideia se fundamenta no entendimento de que as obras de arte não têm a função de transmitir significados conceituais determinados. O sentido delas brota, existe, da maneira como a plateia as vivencia. Assim, "o conhecimento dos sentimentos e sua expressão só podem se dar pela utilização de símbolos outros que não os linguísticos. [...] Uma ponte que nos leva a conhecer e a expressar os sentimentos e, então, a arte; e a forma de nossa consciência apreendê-los é através da experiência estética". (*ibidem*, p. 93)

A experiência estética em dança, desse modo, conduz ao arrebatamento, à desterritorialização, à liberdade, à novidade que a arte pode proporcionar. Mas, por certo, tal experiência só é possível sem que se estabeleça um ambiente necessariamente didático.

Outra recorrência que percebemos e que configurou mais um desafio para nossa pesquisa é a noção de que a experiência estética em dança para a garotada envolve necessariamente a interação crianças-público de forma dançante. São inúmeras as criações no campo da chamada "dança interativa para crianças".

Não há dúvidas de que existem inúmeras possibilidades criativas e estéticas quando se escolhe envolver os meninos e meninas na dança que está na cena. No entanto, queríamos, desde o princípio, pensar em promover experiências estéticas que engajassem as crianças sem obrigatoriamente usar a noção mais tradicional de interação. Como promover uma experiência em dança para as crianças enquanto plateia?

Mas o que de específico, nessa circunstância, estabelece uma comunicação sensível entre *performers* e público, que transforma e toca um e outro? Onde mora a especificidade dessa arte viva? Mora em quem pratica a ação? No corpo físico e na ação artística num tempo-espaço? Num tipo de movimento? Ou num modo de agenciar tudo isso?

Arriscamos, aqui, chamar esse modo de articulação de *poética*, entendendo-a como o estudo das competências que favorecem uma reação emotiva a um sistema de significação e expressão. Como afirma Jacques Rancière (2009), a função poética carrega essa particularidade de modo imanente, a intervenção dupla de um ponto de vista artístico (pessoas responsáveis pelo ato criador) em estreita relação com interlocutoras cuja sensibilidade elas esperam tocar no foco ou no cerne de suas reações estéticas. Todas as obras de arte são diálogo, experiência estética e partilha.

Nesse ponto, passamos a intuir a respeito da sensorialidade para potencializar essa comunicação artistas-crianças, investindo em:

1. objetos cênicos, em especial tecidos, bexigas e bacias (materiais utilizados no projeto para abordar o tema água), usados com função cotidiana e, também, mesclados com suas possibilidades extracotidianas, extrapolando sua aplicabilidade para o campo do onírico;
2. incitamentos auditivos a partir de objetos sonoros, instrumentos musicais e corporais que transitavam pelos sons da chuva, do rio e do mar, entre outros estados, formas e possibilidades da água;
3. variação de estímulos diversos de maneira não linear, valendo-nos de imagens projetadas, de dançar nos aproximando da plateia, nos deslocando entre ela, variando o ritmo e a dinâmica das cenas e a utilização do espaço, pingando gotinhas de água nas mãos ou braços das crianças, entre outros.

Além disso, é claro, atentamos para o ângulo de visão da meninada, a altura em que assistem e a que nós, artistas, nos posicionamos. O que elas veem quando estão sentadas no chão e as dançarinas e dançarinos movimentando-se na maior parte do tempo em pé? Tais percepções provieram das experimentações nas instituições de educação formal, uma vez que observamos as vivências que mais despertavam o interesse, a curiosidade e a atenção das crianças.

Outro campo de desafio esteve na relação com a transformação da brincadeira em objeto estético. Como vimos na introdução, as crianças são as verdadeiras mestras da brincadeira. É por meio e a partir delas que o brincar se mantém vivo na nossa trajetória como espécie. Dessa maneira, quando a brincadeira vira objeto estético, material cênico? E como conceber essa transformação? Pareceu-nos sempre um desafio pensar em qualidades de movimento que, ao mesmo tempo, se aproximassem do universo infantil e fossem vivenciadas esteticamente por crianças. Somente brincar em cena não garante que a brincadeira desenvolvida promova uma experiência estética, complexa para quem vê. Às vezes, a única coisa que se promove é a vontade de brincar. O desafio que se materializa nessa relação é o de pensar a brincadeira como fim e estratégia ao mesmo tempo.

Por fim, outro aspecto desafiador que queremos apresentar aqui (certamente o processo criativo nos apresentou ainda muitos outros) está relacionado com o entendimento da dança como linguagem e como área de conhecimento. Se de um lado estávamos preocupados com as especificidades das crianças, de outro sempre pareceu fundamental manter presentes as particularidades da dança, já que também identificamos, no campo das produções em artes cênicas, uma recorrente utilização de recursos discursivos relacionados à palavra. Mais uma vez, não queremos que pareça que consideramos a palavra uma ferramenta pouco potente; apenas estávamos interessadas e movidas pela seguinte questão: o que só a dança pode oferecer como experiência estética para as crianças?

Mas o que a dança tem de especial em relação a tantas outras formas de expressão existentes? Nós a entendemos como uma operação complexa, ligada a diversos campos de conhecimento – da filosofia às práticas pedagógicas. Nesse sentido, a dança é uma área de conhecimento e um campo de pesquisa.

Muitas têm sido as transformações — ocorridas tanto de dentro para fora quanto de fora para dentro — nessa manifestação que podemos chamar de dança. Dançar é um momento efêmero e expressivo da existência humana, que existe na condição de construir imagens no espaço infinito. Dançar é deixar que se corporifiquem imagens plenas de significado e ato. Conceituar o ato de dançar e produzir dança, especialmente em ambiente educativo, exige assumir uma série de elementos que constituem a complexa e diversa estrutura social e humana. O ato de dançar revela a essência dos medos, mistérios e riscos, transmutando e representando o que não pode ser senão expressividade humana dinâmica. O que se busca é um conceito de dança que seja como a poesia, mas que, em vez de palavras, utiliza o corpo em movimento como suporte de linguagem.

Para Helena Katz (2003, p. 262), "a dança é apresentada como o pensamento do corpo, e esse corpo, [como] a mídia básica, exemplar dos processos de comunicação da natureza". A autora defende tal concepção valendo-se das ciências cognitivas, sociais e da comunicação. Em outras palavras, para ela, dançar é também uma forma que o corpo encontra para pensar, para construir conhecimento sobre si mesmo e sobre o entorno.

Dança é linguagem, é comunicação, é uma forma de as pessoas se posicionarem na sociedade e construir sociabilidades. A dança não é mais importante nem mais especial que nenhuma outra linguagem, mas é única, e se aproxima bastante da criançada na medida em que ambas são corpo, movimento, imaginação e expressividade. Daí advém nossa escolha da dança como "carro-chefe" da cena.

E O CORPO ADULTO EM CENA?
O ESTADO CORPORAL CÊNICO

Ainda sobre as estratégias de comunicação entre artistas e crianças, estudamos possibilidades de meninas e meninos se conectarem com a pessoa adulta em cena, uma vez que a garotada é um público extremamente sincero e exigente. Segundo Júlia dos Santos (2017), as crianças são os melhores críticos de arte, pois não "têm ideias preconcebidas, interessam-se de imediato ou se aborrecem na hora e, quando não são envolvidas pelos atores, ficam impacientes" (p. 41). Desse modo, a presença de um corpo cênico receptivo, brincalhão e expressivo é fundamental para que a ligação artistas-crianças aconteça.

Nesse contexto, percebemos que o que é verdadeiro para as/os adultas/os também o será para a criançada; o que fizer sentido para as/os artistas em cena também o fará para as crianças – daí também, como vimos, a inutilidade da didatização da arte.

Com isso, é interessante impregnar o processo de criação de afetos, memórias, imaginários e experiências vividas das dançarinas e dançarinos em sua infância, favorecendo que artistas, dança e crianças se encontrem numa experiência compartilhada e autêntica (Santos, 2017). Tais procedimentos e elementos – alimentos importantes para o processo de criação – são reelaborados, reconstruídos e ressignificados de modo que não sejam somente uma experiência nostálgica das/os adultas/os criadoras/es. Trata-se de abraçar cada uma das infâncias envolvidas no processo a fim de encontrar, no cruzamento delas (e destas com as crianças-público), potências estéticas que não são apenas particularidades. Para tanto, deve-se partir das memórias de quem cria.

A esse respeito, sugerimos que cada integrante do grupo levasse uma foto sua quando tinha entre 12 meses e 5 anos em uma experiência com a água. Solicitamos também, sem justificar, que não pedissem informações a ninguém sobre aquela imagem. No coletivo, mostramos as fotos, compartilhamos histórias, memórias e afetos daqueles momentos e retomamos, ainda que verbalmente, as sensações que a água nos trazia quando crianças.

Para o encontro seguinte, pleiteamos a possibilidade de cada participante indagar os membros da família que presenciaram a situação da foto sobre suas lembranças do dia registrado e suas percepções de como ela/e interagia com a água quando criança. Tal ação foi inspirada em Rita Pereira e Solange Souza (1998) quando alegam que nossas memórias de infância são permeadas pelas memórias que as pessoas adultas têm da nossa infância, uma vez que são elas quem contam e recontam os fatos da época.

Esse dia foi interessante, pois muitas de nós revelaram ter começado a lembrar de outros sentidos a partir das conversas com os familiares, o que nos conectou ainda mais com as experiências infantis e o tema do processo de criação. Nossas verdades afloravam intensamente. Além do mais, notamos uma proximidade nos afetos e sensações das participantes; havia muitos pontos em comum nas diferentes vivências. E o mais curioso era que as palavras que elencamos como eixos centrais da criação – cachoeira, chuva, poça, gota, rio, mar e piscina – foram as mesmas escolhidas pelas crianças nas instituições educativas.

Assim, partindo delas, iniciamos algumas experimentações, em consonância com a visualização das filmagens das crianças nos espaços educativos realizando as movimentações das ondas do mar, dançando a evaporação, saltando poças imaginárias, experimentando a gota d'agua escorrer pelo corpo, entre outras propostas provenientes do diálogo com as meninas e meninos de pouca idade.

Outro aspecto que sempre trazíamos à tona era uma dose de humor e comicidade em algumas cenas. Não que isso fosse obrigatório e essencial, uma vez que o universo infantil, assim como o adulto, também é permeado de medos, angústias, tristezas e inseguranças. Contudo, tais características faziam sentido pelo que víamos nos projetos, pelas nossas memórias da infância e o já citado papel da brincadeira. Ademais, sabemos que a meninada gosta de externalizar a alegria e o riso. Dessa maneira, cuidamos para que uma das cenas pudesse dar espetáculo a um personagem de capa e guarda-chuva que sapateava nas poças, trazendo elementos da palhaçaria.

QUAL FOI O FINAL DESSA HISTÓRIA?

O projeto de criação iniciado no Dançarelando em Cena não chegou a ser concluído por diversos fatores. Finalizamos três trechos, somados a partes menores sem acabamento. Nossa intenção era apresentar esses três fragmentos a um grupo de teatro infantil que também passava por um processo de criação para bebês, almejando a troca de olhares e experiências. Na sequência, levaríamos esse piloto a uma das instituições onde estávamos trabalhando com as crianças e notaríamos suas percepções para, com isso, completar o processo e circular por alguns CMEIs da cidade de Goiânia. Um projeto que merece ser retomado e, apesar da inconclusão, reverberou especialmente em uma das pesquisadoras, que almejou realizar sua iniciação científica e seu trabalho de conclusão de curso (TCC) refletindo sobre tal iniciativa.

Nesse contexto, por meio do processo do Dançarelando em Cena, notamos que ainda há muitos desafios para pensar e conceber uma criação em dança para as crianças pequenas. Identificamos uma forte necessidade de mergulhar, despidas de padrões e concepções prévias, nos modos de pensar, agir e viver das meninas e meninos de pouca idade, por meio de escuta, observação e participação sensível aos seus movimentos, comentários, questionamentos, brincadeiras e reelaborações com pessoas do cotidiano.

O acesso ao devaneio onírico, a outras temporalidades e a maneiras não lineares de apreensão da sociedade e expressão das múltiplas linguagens também é um aspecto que merece atenção ao longo da produção de uma obra artística para a plateia infantil. Um público que em nenhum momento é e está inerte; ao contrário, deve ser respeitado em seus saberes, inteligências criativas e necessidades.

Com isso, apontamos o compromisso artístico da manutenção da qualidade, do preciosismo e do bom *acabamento* dos espetáculos, com a devida qualidade técnica das produções oferecidas ao público adulto. Defendemos a seriedade dos processos e produtos para meninas/os, evitando o lugar-comum de que

> [...] qualquer coisa pode ser usada/feita para crianças porque, afinal, são crianças e não entendem muitas coisas. Com isso podemos trabalhar com qualquer coisa e de qualquer jeito; ou então, levamos diversos materiais, usamos um pouquinho de tudo, sem aprofundamento, só para ensinar sobre algo, sobre determinado assunto. (Diário de campo, 18/11/2018)

Nesse sentido, é fundamental deixar de lado nossas expectativas sobre o que consideramos melhor ou o mais adequado às crianças segundo nossa visão adultocêntrica – afastando-nos, assim, da ótica alienante das obras colocadas à disposição da meninada na qual elas, no papel de consumidoras passivas, se tornam depositárias de uma sociedade adulta.

Nossas experiências e leituras nos possibilitaram identificar alguns dos nós que envolvem tais processos, mas certamente urge uma conexão mais sensível e aprofundada com o que faz sentido, ao mesmo tempo, para nós e para as crianças.

Esperamos, com este texto, ampliar discussões e reflexões acerca do tema, reconhecendo que a experiência estética em dança, pensada especificamente para e com crianças, é campo fértil e importante.

10. POR UMA PEDAGOGIA PARA DANÇARELAR: EIXOS FUNDANTES

Fernanda de Souza Almeida

Comprometidas com a articulação entre ensino, pesquisa e extensão, as experiências em campo do Dançarelando fomentaram as investigações apresentadas em cada um dos nove capítulos deste livro, tendo como eixo central a prática educativa em dança e os possíveis princípios metodológicos de abordagem com meninas e meninos de pouca idade. Todas destacaram o lúdico como estratégia interessante, algumas por meio de jogos e brincadeiras das culturas tradicionais infantis, outras com a contação de histórias, o faz de conta, as tecnologias da informação e comunicação, o *breaking*, as danças brasileiras, a música ou a educação dos sentidos (Duarte Junior, 2004).

Ao longo do percurso, tentamos sistematizar os pressupostos mais recorrentes a fim de orientar nossas ações – mas não como modelos educativos a ser seguidos, pois compreendemos que cada docente, cada criança e cada contexto revela uma particularidade e, ao se encontrarem, explodem em um processo educativo singular e irrepetível.

Ao estabelecer pilares de atuação em dança, nossa intenção era a de ampliar o olhar para as relações entre essa linguagem artística e a garotada, assim como manter um posicionamento político quanto a nossas escolhas autorais para realizar direcionamentos investigativos.

Dessa maneira, elencamos dois pontos de partida básicos: 1) a dança como campo de conhecimento e linguagem da arte; e 2) as crianças e suas infâncias como categorias inundadas dos aspectos etário, social, cultural, dos marcadores de gênero, etnia e religião, entre outros, que influenciam e dão sentido ao que fazem. Tais fatores, somados às suas experiências particulares, *colorem* os estilos de vida e os caminhos de crescimento dessa gente miúda.

Tal concepção de dança a delineia como uma experiência corporal, artística, estética, cultural e política que abrange aspectos da comunicação, criação, imaginação, fruição, expressão, poética, conhecimentos do corpo, do espaço, do ritmo, do peso, da outra pessoa, do grupo, da sociedade, das interações. O intuito dessa perspectiva é proporcionar às e aos participantes um universo de experiências corporais, artísticas, estéticas e culturais por meio do corpo que dança. Em consonância com Carolina de Andrade (2016), reforço que a dança não é um meio para alcançar outros objetivos que não ela mesma; como afirma Patrícia Prado (1999), ela justifica seu próprio fazer, assim como a brincadeira para as crianças.

A dança tem elementos, metodologias, estratégias, processo de criação e historiografia próprios. É um conhecimento produzido em várias culturas, um patrimônio da humanidade (direito de todos) construído ao longo da existência humana.

Nosso trabalho se apoia na perspectiva de Walter Benjamin (1992), para quem a linguagem, pensada em sua dimensão simbólica, é um canal expressivo que envolve todas as manifestações humanas. A partir dela, tanto a realidade subjetiva e multiforme (ideias, imaginação, impressões, sentimentos) como os fenômenos do mundo externo podem ser formulados e comunicados a nós mesmos e a outras pessoas.

Nesse sentido, os movimentos, os modos de olhar, de sorrir, os silêncios, os choros, os balbucios, os desenhos, as pinturas, as sonoridades, as brincadeiras, as danças, dentre tantas outras infinitas manifestações das crianças (e nossas), são linguagens – as quais, em arte, se embolam, se embaraçam, ganham contornos modificáveis e direções movediças, interrompendo o tempo cronológico, homogêneo, e a literalidade.

Já a visão das crianças como sujeitos de direitos – de ser consultadas, ouvidas, de ter acesso à informação, de tomar decisões em benefício próprio (Costa, 2016) –, como seres inventivos, imaginativos, exploradores incansáveis dos diferentes campos de experiência, portadores de história, produtores de cultura e protagonistas da própria vida revela seu modo peculiar de ser, estar, fazer e conviver com o entorno e suas possíveis relações com a dança.

Com isso, o entrelaçamento dos dois aspectos antes mencionados tem possibilitado ao GPDAEI assumir alguns princípios metodológicos de abordagem da dança com a meninada: lúdico, múltiplas linguagens, educação do sensível (Duarte Junior, 2004), interação, improvisação, apreciação estética e criação – fundamentos esses que perdem suas fronteiras, entremeando-se na tentativa de construir redes de relações criativas e inusitadas entre corpo, movimento, eu, pessoas, arte e entorno.

Ao reconhecermos que esses seres têm características peculiares e autênticas, expressas por meio das mais diferentes formas de comunicação, buscamos ofertar a dança pelo pressuposto das múltiplas linguagens (Edwards, Gandini e Forman, 2015) e, em particular, da integração das linguagens artísticas.

Tal peculiaridade emerge, sobretudo, porque na infância as palavras não estão tão sedimentadas em suas experiências; aparecem mais livres dos modelos fabricados socialmente. As crianças transitam mais entre as linguagens, brincam com as possibilidades, exploram os sons, descobrem, criam e poetizam, (re)elaborando seus conhecimentos (Pires, 2016). Sua potência multilinguageira e imaginária faz emergir o diferente, o inusitado, o não revelado e o silenciado (Pires, 2014, p. 825), tendo o movimento gestual do seu corpo inteiro como possibilidade primária de comunicação.

A esse respeito, nossas proposições com as crianças foram e são repletas de poesia, literatura, contação de histórias, desenho, instrumentos musicais, gestualidade, dramatizações, vídeos, imagens de pinturas, tecnologias da informação e comunicação (TIC) e do brincar – sempre permeando a produção de sentidos por e com meninos e meninas.

Além do mais, percebemos facilmente o destaque dado às expressões corporais por meio dos gestos e movimentos. Segundo Sayão (2002a), as crianças, potencializadas pelo sentido do tato, constituem corpo plenamente e se envolvem sensorialmente com coisas, objetos e outras pessoas. Dessa forma, buscamos, em nossas intervenções, o exercício da sensibilidade, por meio de:

a) massagens com bolinha, cravo, algodão, hidratante, sementes, plástico bolha;
b) percepção de diferentes cheiros;
c) diferenciação de sons produzidos por instrumentos musicais, sinos, mangueiras de conduíte e escuta da própria voz cantando, gravada em áudio;
d) visualização de vídeos, figuras, cores, diversificação na organização do espaço, apreciação de artistas e colegas, filmagem de outras crianças dançando, entre outros.

Todos esses elementos possibilitaram a interação qualitativa com os elementos da dança.

O aguçamento da sensorialidade aponta para a expansão da estesia, que, segundo Ana Mae Barbosa (2008, p. 58), é a capacidade de perceber o mundo por meio das sensações, da escuta e de um olhar sensível: "[...] em seu poder de perturbar nossos sentidos, nos torna capazes de uma percepção mais íntima e intensa da realidade, nos fazendo prestar atenção aos detalhes que nos cercam, aproximando-nos daquilo que aparece nas entrelinhas do vivido".

A ênfase na dimensão sensorial, em diálogo com as experiências artísticas, pode cultivar uma relação mais sensível com a sociedade, com as pessoas e com as coisas, despertando olhares plurais para além do utilitário (Duarte Junior, 2012). Tal destaque atribuído à vivência dos matizes de cores, formas, sabores, texturas, odores e suas maneiras inusitadas de sentir e notar o entorno permite-nos vivenciar um maior deleite perante as qualidades do mundo e a descoberta de outras maneiras de significá-lo que não apenas a conceitual.

Sob essa inspiração, uma experiência sensível-estética em arte que se utiliza das percepções sensoriais com seus significados refletidos, conhecidos, atribuídos, relacionados e transformados em dança pode ser plenamente incentivada com a meninada.

Com isso, a apreciação estética torna-se mais um eixo metodológico das nossas proposições em dança, capaz de ampliar o universo cultural das crianças, estimular o encantamento, o inusitado, a capacidade de observação e compreensão da dança como linguagem artística – além de auxiliar essa gente miúda a visualizar a integração dos elementos da dança para uma composição cênica (Almeida, 2014).

Ademais, as experiências corporais têm centralidade nas relações da criança, seja consigo mesma, seja com as pessoas, objetos e entorno. Assim, a interação com seus pares, com a/o docente, com pessoas adultas de fora da família e com a cultura é outro aspecto que buscamos evidenciar em nossas intervenções (Almeida *et al.*, 2016). Nesse sentido, buscamos oportunizar uma diversidade de relações, promovendo a apreciação, a imitação, o dançar junto e a conexão entre crianças e adultos.

Particularmente na dança, o corpo é um dos elementos essenciais, fonte da sua expressividade; quando alinhavada à pequena infância, ela tem o poder de favorecer a compreensão das estruturas, sensações e percepções corporais e a expansão das possibilidades do movimento e de conhecimentos diversos.

Além do mais, as vivências dançantes "[...] podem pautar-se nas noções de anatomia, por meio do estudo prático e teórico da estrutura esquelética, das articulações, de partes do corpo, de dimensões e tamanhos, das alavancas e das graduações do tônus" (Almeida, 2018, p. 23), bem como na percepção da ação da gravidade e na distribuição da força entre os ossos e músculos, por meio da experimentação dos apoios, eixos, equilíbrios e desequilíbrios e alinhamentos posturais. Isso sem subestimar o entendimento da garotada sobre o corpo humano (Andrade, 2016) ou sobre qualquer outro tipo de conhecimento.

Assim, ao compreender as crianças como seres corpóreos por excelência, concebemos ser interessante que a dança permeie o cotidiano educacional, favorecendo que elas tenham experiências próprias de movimento. Em especial, a improvisação pode ser uma estratégia privilegiada para instigar a descoberta e expansão das possibilidades de ação no tempo/espaço e sobre os objetos, descristalizando modelos. Além disso, também pode se tornar parte do processo criativo e oportunizar a interação entre as e os participantes (Santinho e Oliveira, 2016).

Por fim, apontamos a necessidade de repensar o estereótipo da experiência lúdica que permeia nossas concepções e ações. Cipriano Luckesi (2005, p. 20) afirma que "comumente se pensa que uma atividade lúdica é uma atividade divertida. Poderá sê-la ou não. O que mais caracteriza a ludicidade é a experiência de plenitude que ela possibilita a quem a vivencia em seus atos". Ou seja, uma vivência é lúdica quando há entrega total do ser humano, quando há uma ação de estar inteiro e imerso no momento em questão.

Tais eixos metodológicos (lúdico, múltiplas linguagens, educação do sensível, interação, improvisação, apreciação estética e criação), quando bem consolidados, podem orientar de maneira mais propositiva a formação inicial e continuada de docentes em dança com a infância, uma vez que se revelam um campo de atuação e pesquisa recente (Andrade, 2016). Trata-se, enfim, de um modo contemporâneo de pensar a dança e sua interface com a educação a partir, sobre, com e a favor da infância, na tentativa de inventar uma "pedagogia para dançarelar".

NOTAS

Introdução

1. Todos os subprojetos vinculados ao Dançarelando foram autorizados pela Secretaria Municipal de Educação (SME) e aprovados pelo Comitê de Ética e Pesquisa (CEP) sob o n. 51819415.60000.5083, acompanhados das devidas autorizações por meio da carta de anuência da instituição e dos termos de assentimento e consentimento livre e esclarecido das e dos partícipes e responsáveis.

2. Modalidade de aula anterior ao estágio preliminar do ensino de balé, voltada para crianças de 2 a 6 anos de idade (Wollz, Cerqueira e Müller, 2016).

3. Ciranda típica do Maranhão, dançada em pares e presente nas festividades juninas.

4. Também chamada de cateretê, é uma dança típica do interior do Brasil.

Capítulo 1

1. Publicado anteriormente em Fernanda de S. Almeida, "Subversões e subversivxs: a infância, a criação de espaços de exceção e os projetos em dança". *Anais Abrace*, X Reunião Científica, v. 20, n. 1, 2019, p. 1-17. Disponível em: <https://www.publionline.iar.unicamp.br/index.php/abrace/article/view/4379>. Acesso em: 14 nov. 2020.

2. Denominação dada a grupos com até 20 crianças com idade aproximada. O berçário atende os bebês de 0 a 11 meses; o agrupamento B, crianças com 1 ano de idade; o C, 2 anos; o D, 3 anos; o E, 4 anos; e o agrupamento F, crianças com 5 anos de idade. Em algumas instituições há o EF misto, que recebe crianças de 4 a 5 anos. Para cada agrupamento há uma professora regente e um(a) auxiliar (quando não há problemas com escassez de funcionários na rede pública municipal).

Capítulo 2

1. Texto adaptado do original publicado em Fernanda de S. Almeida, "A dança em território de gente miúda: dialogias com as múltiplas linguagens infantis". *Pensar a Prática*, v. 23, 2020. Disponível em <https://www.revistas.ufg.br/fef/article/view/59659>. Acesso em: 03 dez. 2020.

Capítulo 3

1. Texto adaptado do original publicado em Taynara F. Silva, Fernanda de S. Almeida e Nilva P. de Souza, "Dançar e brincar: uma experiência de balé com crianças pequenas". *Pensar a Prática* (online), v. 22, 2019, p. 1-12. Disponível em: <https://www.revistas.ufg.br/fef/article/view/50553>. Acesso em: 30 set. 2020.

2. Na língua francesa, a palavra *plié* significa "dobrar". No balé, tal termo remete, usualmente, a uma flexão de joelhos para impulsionar e amortecer movimentos.

3. *Tendu*, em francês, é sinônimo de "esticado", gerando a ação de estender a perna à frente, ao lado e atrás.

4. Passo do balé que solicita uma elevação dos calcanhares do solo.

5. Tipo de salto iniciado e finalizado por um *plié*.

6. Em francês, a palavra *passé* significa "passou". No balé, tal termo representa um movimento no qual um dos pés, encostado na perna de apoio, sobe até a altura do joelho, passando da frente para trás ou de trás para a frente.

7. *Echappé*, em francês, é sinônimo de "escapado", que gestualmente simboliza o ato de flexionar os joelhos e arrastar as duas meias pontas pelo chão, ao mesmo tempo, à frente/atrás ou ao lado.

8. Passo do balé que indica "escorregar", "arrastar". No balé, trata-se de uma extensão de perna lançada (com velocidade, firmeza e próxima do solo).

9. Música de domínio público do cancioneiro popular infantil brasileiro.

10. Movimento específico do balé para reverenciar; forma de agradecimento, curvando o corpo à frente, que frequentemente é utilizada ao final das aulas e apresentações de dança.

11. Sigla de acetato-vinilo de etileno, espuma sintética muito usada em artesanato e para confeccionar materiais infantis e escolares.

12. Em francês, tal termo significa "passo de cavalo". É um salto que acontece elevando em *passé* uma perna por vez, sendo que no ar os dois pés se encontram.

13. Tipo de salto realizado alternando-se as pernas, uma vez que o pé encosta no joelho oposto.

14. Termo que remete a uma movimentação dos braços.

15. *Grand battements*, em francês, refere-se a uma "grande batida", na qual uma das pernas se eleva, de maneira controlada, o mais alto possível, mantendo o resto do corpo alinhado.

16. *Couru* expressa "correndo". É uma execução rápida de um passo que lembra uma "corridinha" lateral.

17. Músicas de domínio público do cancioneiro popular infantil brasileiro.

Capítulo 4

1. Texto adaptado do original publicado em Jéssica T. de Faria e Fernanda de S. Almeida, "Brincadeira de rua: uma abordagem lúdica do *breaking* na escola". *Iaçá: Artes da Cena*, v. III, n. 1, 2020, p. 25-40. Disponível em: <https://periodicos.unifap.br/index.php/iaca/article/view/5191/2548>. Acesso em: 14 nov. 2020.

2. Para saber mais sobre o Corpopular e a investigação da aproximação entre *breaking* e jogos tradicionais infantis, veja Almeida *et al*, 2016.

Capítulo 5

1. Texto adaptado do original publicado em Fernanda de S. Almeida e Deyzylany F. Neves, "A dança, a criança e as tecnologias: favorecendo a integração de linguagens no contexto educativo". *Cenas Educacionais*, Caetité, v. 4, e10406, 2021, p. 1-29. Disponível em: <https://www.revistas.uneb.br/index.php/cenaseducacionais/article/view/10406>. Acesso em: 25 mar. 2021.

2. Cinesfera é o espaço pessoal; uma esfera imaginada por Laban que envolve o corpo, onde acontece o movimento (Siqueira, 2006). A extensão máxima da cinesfera pode ser atingida alongando-se as extremidades dos membros superiores e inferiores sem mudar a postura, isto é, o lugar de apoio (Godoy, 2007).

3. Para saber mais sobre os elementos e estratégias da dança na educação infantil, veja Almeida (2013; 2016; 2018) e Andrade (2016).

4. Os planos de ação, o sequenciador e a descrição completa das intervenções, bem como os diários de campo das pesquisadoras, encontram-se disponíveis nos arquivos do GPDAEI (UFG).

5. Videodança é um produto artístico híbrido, proveniente da interface entre elementos do audiovisual e da dança, no qual o movimento e o olhar do *videomaker* são os eixos dos processos de criação (Romero e Faria, 2016).

Capítulo 6

1. Texto adaptado do original publicado em Fernanda de S. Almeida e Andreza L. M. de Sá, "Pequenos brincantes da educação infantil: um encontro entre a dança e as culturas populares brasileiras". *Revista Cena*, Porto Alegre, n. 34, maio-ago. 2021, p. 51-61. Disponível em: <https://seer.ufrgs.br/cena/article/view/110186/61775>. Acesso em: 23 nov. 2021.

2. Para saber mais sobre dança e os elementos das culturas populares brasileiras, assim como sobre a escassez de aprofundamentos, contextualizações, sistematizações e detalhamentos metodológicos e/ou teóricos nos textos de ambos os documentos referendados, veja Andreza L. M. de Sá (2018); Fernanda de S. Almeida e Andreza L. M. de Sá (2018).

3. Mário de Andrade foi um dos artistas participantes de um projeto nacionalista de identidade brasileira, sendo muito criticado por estudiosos das culturas populares. Entretanto, o recorte desta investigação refere-se apenas aos PIs, por ser essa uma primeira experiência em educação infantil que valorizou as crianças como sujeitos, tendo as culturas populares como um dos eixos educativos.

4. Personagem de uma das narrativas do bumba meu boi.

Capítulo 7

1. Texto adaptado do original publicado em Fernanda de S. Almeida e Letícia F. de Abreu, "Contando histórias para dançar ou sobre encontros em arte na educação das infâncias". *OuvirOUver*, v. 18, n. 1, 2021. No prelo.

2. Boneca criada pela artesã maranhense Waldilena Serra Martins na década de 1980, na comunidade Cidade de Deus, na cidade do Rio de Janeiro. Segundo a jornalista Eduarda Ramos (2021), "o processo foi muito orgânico: antes de chegar às Abayomis, a artesã confeccionava bonecas de pano e de palha de milho". Diz a própria artesã: "Eu não tinha um projeto em mente, só estava vivendo o momento. A boneca não tinha nome, quando eu comecei a fazer a Abayomi, a ganhar um formato, um jeito, era só 'boneca negra sem cola e sem costura'".

Capítulo 8

1. Texto adaptado do original publicado em Fernanda de S. Almeida e Carolina R. de Andrade, "Dançar com a criança: um olhar para a composição e criação em dança com a pequena infância". *Revista Científica/FAP*, Paraná, v. 15, n. 2, jul.-dez. 2016, p. 10-30. Disponível em: <http://periodicos.unespar.edu.br/index.php/revistacientifica/article/view/1110>. Acesso em: 29 nov. 2021.

2. Entre as políticas públicas elaboradas nos últimos 20 anos em prol da educação infantil, destacamos a Constituição Federal de 1988, a Lei de Diretrizes e Bases da Educação Nacional (LDB, 1996), o Referencial Curricular Nacional para a Educação Infantil (RCNEI, 1998) e as Diretrizes Curriculares Nacionais para a Educação Infantil (DCNEI, 2010). E, entre as pesquisas, ressaltamos as produções acadêmicas apresentadas no mapeamento de dança voltada para a educação infantil e seus temas correlatos na tese de Andrade (2016).

3. Expressão surgida em meados do século XX para se referir às ideias e metodologias de ensino da dança para a educação inspirada nos estudos de Laban. Para saber mais, veja Márcia Strazzacappa (2010). No caso do projeto-piloto, o nome do curso foi proposto pela escola.

4. Adotamos o uso de siglas para preservar a identidade das/os participantes.

5. A sensibilidade estética surge nesse processo de percepção dos objetos que transcende a dimensão utilitária direta e uma atitude unívoca diante da realidade. Na relação estética, o sujeito entra em contato com o objeto mediante a totalidade de sua riqueza humana, não apenas sensível, mas também intelectiva e afetiva (Camargo e Bulgacov, 2008).

Capítulo 9

1. Texto adaptado do original publicado em Fernanda de S. Almeida e Ricardo M. Martins (Princesa), "Dançarelando na cena infantil: desafios da criação artística para a criança pequena". *Revista da FUNDARTE*. Montenegro, ano 20, n. 42, jul.-set. 2020, p. 1-23. Disponível em: <http://seer.fundarte.rs.gov.br/index.php/RevistadaFundarte/article/view/784>. Acesso em: 29 nov. 2021.

REFERÊNCIAS

ABRAMOWICZ, Anete; RODRIGUES, Tatiane C. "Descolonizando as pesquisas com crianças e três obstáculos". *Educação & Sociedade*, Campinas, v. 35, n. 16, abr.-jun. 2014, p. 461-474. Disponível em: <https://www.scielo.br/j/es/a/7yYpXMyr5jx5P3VwqcXdk4f/?lang=pt>. Acesso em: 29 nov. 2021.

AMEIDA, Fernanda de S. *Que dança é essa? Uma proposta para a educação infantil*. Dissertação (mestrado em Artes), Universidade Estadual Paulista, São Paulo (SP), 2013.

_____. "Apreciação estética em dança na educação infantil – Possibilidades para uma intervenção arte/educadora". In: *Anais* do XXIV Congresso Nacional da Federação de Arte/Educadores do Brasil. Ponta Grossa, Paraná (PR), 2014. Disponível em: <https://docplayer.com.br/19852754-Aesthetic-appreciation--in-dance-for-early-childhood-possibilities-for-an-art-education-intervention.html>. Acesso em: 29 nov. 2021.

_____. *Que dança é essa? Uma proposta para a educação infantil*. São Paulo: Summus, 2016.

_____. "Siga o mestre: reflexões sobre dança, imitação e educação infantil". *Revista Contemporânea de Educação*, v. 12, 2017a, p. 504-20. Disponível em: <https://revistas.ufrj.br/index.php/rce/article/view/3650/pdf>. Acesso em: 23 nov. 2021.

_____. "Notas sobre eixos metodológicos para dançarelar". In: *Anais* do V Congresso Internacional dos Arte/Educadores e XXVII Congresso Nacional da Federação de Arte/Educadores do Brasil. Mato Grosso: Federação de Arte/Educadores do Brasil, v. 1, 2017b, p. 2310-21.

_____. *Dança e educação – 30 experiências lúdicas com crianças*. São Paulo: Summus, 2018.

ALMEIDA, Fernanda de S. *et al.* "Corpopular na escola: um encontro entre dança, o brincar e a rua". In: *Anais* do IV Congresso Nacional de Pesquisadores em Dança. Goiânia: Anda, 2016. p. 17-27. Disponível em: <https://proceedings.science/anda/anda-2016/papers/corpopular-na-escola--um-encontro-entre--a-danca--o-brincar-e-a-rua>. Acesso em: 22 nov. 2021.

ALMEIDA, Fernanda de S.; SÁ, Andreza L. M. de. "Políticas educacionais e o contexto goianiense: horizontes para a dança com a educação infantil". In: *Anais* do VI Congresso Internacional dos Arte/Educadores e XXVIII Congresso Nacional da Federação de Arte/Educadores do Brasil. Brasília: Federação de Arte/Educadores do Brasil, v. 1, 2018, p. 2432-47.

ALMEIDA, Mizraim P. de; CAMPOS, Marineide F. *A pedagogia do balé clássico para crianças e a construção dos saberes.* s/d. Disponível em: <https://silo.tips/download/a-pedagogia-do-bale-classico-para-crianas-e-a-construao-dos-saberes>. Acesso em: 11 nov. 2021.

ANDRADE, Carolina R. de. *Dança para criança: uma proposta para o ensino de dança voltada para a educação infantil.* Tese (doutorado em Artes), Universidade Estadual Paulista, São Paulo (SP), 2016.

ANDRADE, Carolina R. de; ALMEIDA, Fernanda de S. "Elementos de criação em dança com crianças pequenas". In: INSTITUTO FESTIVAL DE DANÇA DE JOINVILLE; XAVIER, Jussara (orgs). *Dança não é (só) coreografia.* Joinville, 2017.

ANDRADE, Inaldete P. de. "Construindo a autoestima da criança negra". In: MUNANGA, Kabengele (org.). *Superando o racismo na escola.* Brasília: Ministério da Educação, 2005. Disponível em: <http://portal.mec.gov.br/secad/arquivos/pdf/racismo_escola.pdf>. Acesso em: 19 nov. 2021.

ANDRÉ, Marli E. D. A. de. *Etnografia da prática escolar.* Campinas: Papirus, 1995.

ANTONIO, José Carlos. "Uso pedagógico do telefone móvel (celular)". Blogue Professor Digital, 13 jan. 2010. Disponível em: <https://professordigital.wordpress.com/2010/01/13/uso-pedagogico-do-telefone-movel-celular/>. Acesso em: 22 nov. 2021.

_____. "Uso pedagógico do Datashow". Blogue Professor Digital, 6 abr. 2011. Disponível em: <https://professordigital.wordpress.com/2011/04/06/uso-pedagogico-do-datashow/>. Acesso em: 15 out. 2017.

BARBOSA, Ana M. *Arte/educação contemporânea: consonâncias internacionais.* São Paulo: Cortez, 2008.

BARBOSA, Bruna P.; GODOY, Kathya M. A. de.; FARIA, Ítalo R. "Jogos em dança: um fichário de criação". In: *Anais do V Congresso de Extensão Universitária*. São Paulo: Proex; Unesp, 2009, p. 129. Disponível em: <http://hdl.handle.net/11449/147306>. Acesso em: 5 maio 2020.

BENJAMIN, Walter. *Magia e técnica, arte e política*. (Obras escolhidas I.) São Paulo: Brasiliense, 1985.

_____. "O narrador: considerações sobre a obra de Nikolai Leskov". In: *Magia e técnica, arte e política – Ensaios sobre literatura e história da cultura*. São Paulo, Brasiliense, 1994.

_____. *A hora das crianças – Narrativas radiofônicas de Walter Benjamin*. Trad. Aldo Medeiros. Rio de Janeiro: NAU, 2015.

BITTENCOURT, Alessandra T. "A influência da tecnologia na dança". Coletânea de Arquivos do Lablux – Laboratório de Iluminação da Unicamp, 2005. Disponível em: <https://hosting.iar.unicamp.br/lab/luz/ld/C%EAnica/Artigos/a_influencia_da_tecnologia_na_danca.pdf>. Acesso em: 22 nov. 2021.

BOAL, Augusto. *A estética do oprimido*. Rio de Janeiro: Garamond, 2009.

_____. *O Teatro do Oprimido e outras poéticas políticas*. Rio de Janeiro: Civilização Brasileira, 2010.

BOFF, Fernanda B. *Pequenices – Dança, corpo e educação*. Porto Alegre: Canto-Cultura e Arte, 2017.

BONAMIN, Aline. "Somar para criar brincando". In: LENGOS, Georgia (org.). *Põe o dedo aqui! Reflexões sobre dança contemporânea para crianças*. São Paulo: Terceira Margem, 2007.

BRASIL. Ministério da Educação e Cultura. *LDB: Lei de diretrizes e bases da educação nacional – Lei n. 9.394*. Brasília: MEC, 1996.

_____. Ministério da Educação e Cultura. Secretaria de Educação Infantil. *Referencial curricular nacional de educação infantil*. v. 1-3. Brasília: MEC, 1998.

_____. Ministério da Educação e Cultura. Resolução n. 5, de 17 de dezembro de 2009. *Diretrizes curriculares nacionais para a educação infantil*. Brasília: MEC, 17 dez. 2010.

BUSS-SIMÃO, Márcia. "A dimensão corporal: implicações no cotidiano da educação da pequena infância". *Magis – Revista Internacional de Investigación en Educación*, Bogotá, v. 2, n. 3, jul.-dez. 2009, p. 129-140. Disponível em: <https://www.redalyc.org/pdf/2810/281021558007.pdf>. Acesso em: 25 nov. 2021.

_____. "Relações sociais na educação infantil: olhar sobre o corpo e os sentimentos". *Educação*, Porto Alegre, v. 37, n. 1, 2014, p. 101-109.

CALVINO, Italo. *Seis propostas para o próximo milênio*. Trad. Nilson Moulin. São Paulo: Companhia das Letras, 1990.

CAMARGO, Denise de; BULGACOV, Yara L. M. "A perspectiva estética e expressiva na escola: articulando conceitos da psicologia sócio-histórica". *Psicologia em Estudo*, Maringá, v. 13, n. 3, set. 2008, p. 467-75. Disponível em: <http://www.scielo.br/scielo.php?script=sci_arttext&pid=S1413-73722008000300007&lng=en&nrm=iso>. Acesso em: 25 nov. 2021.

CAMINADA, Eliana; ARAGÃO, Vera. *Programa de ensino para um curso regular de ballet clássico – Uma proposição*. Rio de Janeiro: UniverCidade, 2006.

CARDONA, Patricia. *La poética de la enseñanza – Una experiencia*. México: Cenidi Danza/Inba/Cenart/Conaculta/Quinta del Agua, 2012.

COLECTIVO FILOSOFARCONCHICXS. *Pedagogías del caos – Pensar la escuela más allá de lo (in)posible*. 2. ed. Buenos Aires: Seisdedos, 2018.

CORSARO, William A. *Sociologia da infância*. 2. ed. Porto Alegre: Artmed, 2011.

COSTA, Maria Aparecida A. *Educação infantil em Goiás: percursos e contradições nas décadas de 1980 e 1990*. Dissertação (mestrado em Educação), Universidade Federal de Goiás, Goiânia (GO), 2016.

COULON, Alain. *Etnometodologia*. Petrópolis: Vozes, 1995.

CRUZ, Renatha C. da; DEUS, João B. de. "A segregação socioespacial em Goiânia (Goiás): o caso da região noroeste". In: *Anais do VII Congresso Brasileiro de Geógrafos*. Vitória, 2014.

CUNHA, Débora A. da. *Brincadeiras africanas para a educação cultural*. Castanhal: Edição do autor, 2016.

DEWEY, John. *Arte como experiência*. São Paulo: Martins Fontes, 2010.

DORNELLES, Priscila O.; MICELI, Paulina A. M. "A produção cultural elaborada para crianças e sua influência na formação da identidade infantil e o desenvolvimento da curiosidade". *Artefactum*, ano VIII, n. 1, 2016. Disponível em: <http://artefactum.rafrom.com.br/index.php/artefactum/article/view/1007>. Acesso em: 23 nov. 2021.

DUARTE JUNIOR, João Francisco. *Fundamentos estéticos da educação*. São Paulo: Papirus, 1995.

_____. *O sentido dos sentidos – A educação (do) sensível*. 3. ed. Curitiba: Criar, 2004.

_____. Entrevista realizada por Carla Carvalho. *Revista Contrapontos – Eletrônica*, v. 12, n. 3, set./dez. 2012, p. 362-67. Disponível em: <https://www6.univali.br/seer/index.php/rc/article/viewFile/4039/2387>. Acesso em: 14 nov. 2021.

EDWARDS, Carolyn; GANDINI, Lella; FORMAN, George. *As cem linguagens da criança*. v. 2. Porto Alegre: Penso, 2015.

EGAS, Olga M. B. "Metodologia artística de pesquisa baseada em fotografia: a potência das imagens fotográficas na pesquisa em educação". In: *Anais do 24º Encontro da Anpap – Compartilhamentos na arte: redes e conexões*, Santa Maria (RS) 2015. Disponível em: <http://anpap.org.br/anais/2015/simposios/s8/olga_egas.pdf>. Acesso em 19 nov. 2021.

ELIA, Ricardo. "Aprender experimentando, aprender inventando: a relação entre viagem e educação para Mário de Andrade". In: *Anais do IX Congresso Brasileiro de História da Educação*, João Pessoa (PB), 2017.

FARIA, Ana Lúcia G. de. "A contribuição dos parques infantis de Mário de Andrade para a construção de uma pedagogia da educação infantil". *Educação & Sociedade*, ano XX, n. 69, dez. 1999, p. 60-91.

_____. "Crianças pequenas e grandes, brasileiras e italianas: um encontro da pedagogia da infância com a arte". In: GOBBI, Márcia Aparecida; PINAZZA, Mônica A. *A infância e suas linguagens*. São Paulo: Cortez, 2015, p. 155-170.

_____. "Loris Malaguzzi e os direitos das crianças pequenas". In: FORMOSINHO, Júlia O.; KISHIMOTO, Tizuko M.; PINAZZA, Mônica A. (orgs). *Pedagogia(s) da infância – Dialogando com o passado, construindo o futuro*. Porto Alegre: Artmed, 2007, p. 276-92.

FARIA, Ana Lúcia G. de.; DEMARTINI, Zeila de B. F.; PRADO, Patrícia D. (orgs.). *Por uma cultura da infância – Metodologias de pesquisa com crianças*. 3. ed. Campinas: Autores Associados, 2009.

FARIA, Ítalo R. "A dança, o jogo e a improvisação: estratégias de criação e ensino". In: *Anais do II Encontro Nacional de Pesquisadores em Dança*. Porto Alegre: Galoá, 2011. Disponível em: <https://proceedings.science/anda/anda-2011/papers/a-danca--o-jogo-e-a-improvisacao--estrategias-de-criacao-e-ensino>. Acesso em: 24 nov. 2020.

FARO, Antônio José. *Pequena história da dança*. 7. ed. Rio de Janeiro: Zahar, 2011.

FELTES, Alessandra F.; PINTO, Aline da S. "Balé e educação infantil: possibilidades metodológicas". *Revista Conhecimento Online*, Novo Hamburgo, ano 7, v. 2,

2015, p. 13-26. Disponível em: <https://docplayer.com.br/18709731-Bale-e-
-educacao-infantil-possibilidades-metodologicas-ballet-y-educacion-infantil-
-posibilidades-metodologicas.html>. Acesso em: 17 nov. 2021.

Ferreira, Manoela. "'Ela é nossa prisioneira!' – Questões teóricas, epistemológi-
cas e ético-metodológicas a propósito dos processos de obtenção da permissão
das crianças pequenas numa pesquisa etnográfica". *Revista Reflexão e Ação*,
Santa Cruz do Sul, v. 18, n. 2, jul.-dez. 2010, p. 151-82. Disponível em: <https://
online.unisc.br/seer/index.php/reflex/article/view/1524/1932>. Acesso em: 29
nov. 2021.

Flick, Uwe. *Desenho da pesquisa qualitativa*. Porto Alegre: Artmed, 2009.

Freitas, Ana Carolina do N. "Balé e brincadeiras de roda: aprendendo o erudito
com o popular". In: *Anais* do VII Connepi, Palmas (TO), 2012. Disponível em:
<http://propi.ifto.edu.br/ocs/index.php/connepi/vii/paper/view/1709/1039>.
Acesso em: 15 nov. 2021.

Fonseca, Vitor da. *Manual de observação psicomotora – Significação psiconeuroló-
gica dos fatores psicomotores*. Porto Alegre: Artmed, 1995.

_____. *Desenvolvimento psicomotor e aprendizagem*. Porto Alegre: Artmed, 2008.

Garcia, Allyson F. *Lutas por reconhecimento e ampliação da esfera pública negra:
cultura hip-hop em Goiânia*. Dissertação (mestrado em História), Universidade
Federal de Goiás (GO), 2007.

Gil, José. *Movimento total – O corpo e a dança*. Lisboa: Relógio D'Água, 2001.

Gobbi, Márcia Aparecida. "Ver com os olhos livres: arte e educação na primeira
infância". In: Faria, Ana Lúcia G. de (org.). *O coletivo infantil em creches e
pré-escolas – Falares e saberes*. São Paulo: Cortez, 2007, p. 29-54.

_____. "Fotografia com crianças pequenas". *Revista Pátio – Educação Infantil*, ano
IX, n. 28, jul.-set. 2011.

Gobbi, Márcia Aparecida; Pinazza, Mônica A. *A infância e suas linguagens*. São
Paulo: Cortez, 2015.

Godoy, Kathya M. A. de. "O espaço da dança na escola". In: Kerr, Dorotéa
Machado (org.). *Pedagogia cidadã – Caderno de formação: artes*. 2. ed. São
Paulo. Páginas & Letras/Ed. da Unesp, 2007.

_____. "A dança, a criança e a escola: como estabelecer essa conversa". In:
Tomazzoni, Airton; Wosniack, Cristiane; Marinho, Nirvana (orgs.). *Algumas
perguntas sobre dança e educação*. Joinville: Nova Letra, 2010, p. 47-56.

_____. "A criança e a dança na educação infantil". In: KERR, Dorotea M. (org.). *Caderno de formação – Formação de professores: conteúdos e didática de artes.* v. 5. São Paulo: Cultura Acadêmica/Univesp, 2011, p. 20-28.

GOIÂNIA. Secretaria Municipal de Educação. *Saberes sobre a infância – A construção de uma política de educação infantil.* Goiânia: SME, 2004.

_____. *Infâncias e crianças em cena – Por uma política de educação infantil para a rede municipal de educação de Goiânia.* Goiânia: SME, 2014.

GONÇALVES, Thaís. "Dança como linguagem artística – Entre o referente e o devir". *Anais* da Abrace – IV Congresso de Pesquisa e Pós-graduação em Artes Cênicas, v. 11, n. 1, 2010. Disponível em: <https://www.publionline.iar.unicamp.br/index.php/abrace/article/view/3572/3730>. Acesso em: 25 nov. 2021.

GUATTARI, Félix. "As creches e a iniciação". In: *Revolução molecular – Pulsações políticas do desejo.* 3. ed. São Paulo: Brasiliense, 1987, p. 50-55.

HUIZINGA, Johan. *Homo ludens – O jogo como elemento da cultura.* Trad. João Paulo Monteiro. São Paulo: Perspectiva, 2000.

INMET. Instituto Nacional de Meteorologia. Portal Inmet (online). Disponível em: <https://portal.inmet.gov.br/>. Acesso em: 29 nov. 2021.

IPHAN. Instituto do Patrimônio Histórico e Artístico Nacional. *Jongo no Sudeste* (Dossiê Iphan 5). Brasília: Iphan, 2007.

JACOBS, Jane. *Morte e vida das grandes cidades.* Trad. Carlos Silveira Mendes Rosa. São Paulo: Editora Martins Fontes, 2014.

JACQUES, Paola B. "Corpografias urbanas: a memória da cidade no corpo". In: VELLOSO, Monica P.; ROUCHOU, Joelle; OLIVEIRA, Cláudia de (orgs.). *Corpo – Identidades, memórias e subjetividades.* Rio de Janeiro: Mauad X/Faperj, 2009.

KATZ, Helena. "A dança, o pensamento do corpo". In: NOVAES, Adauto (org.). *O homem-máquina – A ciência manipula o corpo.* São Paulo: Companhia das Letras, 2003.

KISHIMOTO, Tizuko M. *Jogo, brinquedo, brincadeira e a educação.* 10. ed. São Paulo: Cortez, 2007.

_____. "O jogo e a educação infantil". *Revista Perspectiva*, Florianópolis, n. 22, 2008, p. 105-28.

KUSCHNIR, Karina. "Ensinando antropólogos a desenhar: uma experiência didática e de pesquisa". *Cadernos de arte e Antropologia*, v. 2, n. 2, 2014.

LABAN, Rudolf. *Domínio do movimento.* 5. ed. São Paulo: Summus, 1978.

_____. *Dança educativa moderna*. São Paulo: Ícone, 1990.

LARROSA BONDÍA, Jorge. "Notas sobre a experiência e o saber de experiência". Trad. João Wanderley Geraldi. *Revista Brasileira de Educação*, n. 19, jan.-abr. 2002, p. 20-28. Disponível em: <http://www.scielo.br/pdf/rbedu/n19/n19a02.pdf>. Acesso em: 29 nov. 2021.

_____. "O enigma da infância". In: *Pedagogia profana – Danças, piruetas e mascaradas*. 4. ed. Trad. Alfredo Veiga-Neto. Belo Horizonte: Autêntica, 2003.

LEFEBVRE, Henri. *O direito à cidade*. Trad. Rubens Eduardo Frias. São Paulo: Centauro, 2011.

LEITE, Ana Cláudia A. "Diálogos e experiências: pontes que conectam pessoas e territórios". In: MEIRELLES, Renata (org.). *Território do brincar – Diálogo com escolas*. São Paulo: Alana, 2015. Disponível em: <https://territoriodobrincar.com.br/wp-content/uploads/2014/02/Territ%C3%B3rio_do_Brincar_-_Di%C3%A1logo_com_Escolas-Livro.pdf>. Acesso em: 19 nov. 2021.

LESSA, Juliana S. "O conceito de experiência em Walter Benjamin: elementos para pensar a educação na infância". *Zero-a-Seis*, Florianópolis, v. 18, n. 33, jan.-jun. 2016, p. 108-21. Disponível em: <https://periodicos.ufsc.br/index.php/zeroseis/article/view/1980-4512.2016v18n33p108/31492>. Acesso em: 24 nov. 2021.

LUCKESI, Cipriano Carlos. *Avaliação da aprendizagem na escola – Reelaborando conceitos e criando a prática*. 2 ed. Salvador: Malabares, 2005.

_____. "Ludicidade e atividades lúdicas – Uma abordagem a partir da experiência interna". s/d. Disponível em: <http://portal.unemat.br/media/files/ludicidade_e_atividades_ludicas(1).pdf>. Acesso em: 18 nov. 2021.

MAHONEY, Abigail A.; ALMEIDA, Laurinda R. de (orgs.). *A constituição da pessoa na proposta de Henri Wallon*. São Paulo: Loyola, 2004.

_____. *Henri Wallon – Psicologia e educação*. 9. ed. São Paulo: Loyola, 2009.

MARQUES, Isabel A. *Ensino de dança hoje – Textos e contextos*. São Paulo: Cortez, 1999.

_____. *Dançando na escola*. São Paulo: Cortez, 2005.

_____. *Linguagem da dança – Arte e ensino*. São Paulo: Digitexto, 2010.

_____. "Corpo e danças na educação infantil". In: GOBBI, Márcia Aparecida; PINAZZA, Mônica A. *Infância e suas linguagens*. São Paulo: Cortez, 2015.

MARTINS FILHO, Altino José; PRADO, Patrícia D. (orgs.). *Das pesquisas com crianças à complexidade da infância*. Campinas, Autores Associados, 2011.

MATTHES, Niulza A. "Olhar estético: o cultivo dos sentidos". In: GODOY, Kathya M. A. de; ANTUNES, Rita C. F. de S. (orgs.). *Movimento e cultura na escola – Dança.* São Paulo: Instituto de Artes da Unesp, 2010. Disponível em: <https://www.ia.unesp.br/Home/pesquisa/grupos/movimento_e_cultura_na_escola_revisados1.pdf>. Acesso em: 17 nov. 2021.

MATTOS, Mauro G. de.; NEIRA, Marcos G. *Educação física infantil – Construindo o movimento na escola.* Guarulhos: Phorte, 2004.

NABINGER, Augusta D. "Sensibilização para a técnica clássica: conhecendo aulas de baby class". In: *Anais* do 25º Seminário Nacional de Arte e Educação. Monte Negro: Editora da Fundarte, v. 1, n. 2016. Disponível em: <http://seer.fundarte.rs.gov.br/index.php/Anaissem/article/view/369>. Acesso em: 18 nov. 2021.

NEVES, André. *Obax.* São Paulo: BrinqueBook, 2010.

OLIVEIRA, Joana A. P. de. *Módulo 26: Arte e cultura popular.* Brasília, 2011.

OSTETTO, Luciana E. "Planejamento na educação infantil: mais que a atividade, a criança em foco". In: OSTETTO, Luciana (org.). *Encontros e encantamentos na educação infantil – Partilhando experiências de estágios.* Campinas: Papirus, 2000.

_____. "Educação infantil e arte: sentidos e práticas possíveis". *Cadernos de Formação da Univesp.* São Paulo: Cultura Acadêmica, 2011.

OZAKI, Adalton M.; VASCONCELLOS, Eduardo. "A revolução digital". In: POLIZELLI, Demerval L.; OZAKI, Adalton M. (orgs.). *Sociedade da informação? Os desafios da era da colaboração e da gestão do conhecimento.* São Paulo: Saraiva, 2008, p. 115-150.

PACÍFICO, Marsiel. *Infância, experiência e linguagem em Walter Benjamin – A indústria cultural e as implicações pedagógicas do empobrecimento da experiência formativa.* Dissertação (mestrado em Educação), Universidade Federal de São Carlos, São Carlos (SP), 2012.

PAIVA, Ione M. *Brinquedos cantados.* Dissertação (mestrado em Engenharia de Produção), Universidade Federal de Santa Catarina, Florianópolis (SC), 2000. Disponível em: <https://repositorio.ufsc.br/bitstream/handle/123456789/78240/175386.pdf?sequence=>. Acesso em: 29 nov. 2021.

PAULA, Roberta C. de. "As danças populares na obra de Mário de Andrade". *Resgate,* v. XX, n. 24, jul.-dez. 2012, p. 36-47.

PEREIRA, Rita M. R.; SOUZA, Solange J. "Infância, conhecimento e contemporaneidade". In: KRAMER, Sonia; LEITE, Maria Isabel (orgs.). *Infância e produção cultural*. Campinas: Papirus, 1998.

PEREIRA, Bernadete. "O uso das tecnologias da informação e comunicação na prática pedagógica da escola – Processo ensino aprendizagem". *Dia a Dia Educação* (online), 2016. Disponível em: <http://www.diaadiaeducacao.pr.gov.br/portals/pde/arquivos/1381-8.pdf>. Acesso em: 15 out. 2017.

PERROTTI, Edmir. "A criança e a produção cultural". In: ZILBERMAN, Regina (org.). *A produção cultural para a criança*. Porto Alegre: Mercado Aberto, 1984, p. 9-27.

PINHEIRO, Regina. *Dança e tecnologias da informação*. Projeto experimental (graduação em Comunicação Social), Universidade Federal de Juiz de Fora, Juiz de Fora (MG), 2002.

PIRES, Eloiza G. "Modernidade, infância e linguagem em Walter Benjamin". *Conjectura: Filosofia e Educação*, Caxias do Sul, v. 21, n. 2, p. 245-74, maio/ago. 2016, Disponível em: <http://www.ucs.br/etc/revistas/index.php/conjectura/article/view/3913>. Acesso em: 27 fev. 2020.

_____. "Experiência e linguagem em Walter Benjamin". *Educação e Pesquisa*, v. 40, n. 3, p. 813-28, 2014. Disponível em: <https://www.revistas.usp.br/ep/article/view/86277>. Acesso em: 15 set. 2021.

PIZANI, Rafael L. S.; GÓIS JÚNIOR, Edivaldo; AMARAL, Silvia. C. F. "A educação do corpo nos parques e recantos infantis de Campinas". *Movimento*, Porto Alegre, v. 22, n. 3, jul.-set. 2016, p. 707-22.

PRADO, Patrícia D. "As crianças pequenininhas produzem cultura? Considerações sobre educação e cultura infantil em creche". *Pro-Posições*, Campinas, v. 10, n. 1 (28), 2016, p. 110-18. Disponível em: <https://periodicos.sbu.unicamp.br/ojs/index.php/proposic/article/view/8644103>. Acesso em: 24 nov. 2021.

_____. "Por uma pedagogia da educação infantil de corpos inteiros". In: MELO, José C.; CHAHINI, Thelma H. C. (orgs.). *Reflexões e práticas na formação continuada de professores da educação infantil*, São Luís: EdUFMA, 2015, p. 205-19.

PONDÉ, Glória M. F. "Poesia e folclore para a criança". In: ZILBERMAN, Regina (org.). *A produção cultural para crianças*. 2. ed. Porto Alegre: Mercado Aberto, 1984.

PRESTES, Zoia R. *Quando não é quase a mesma coisa – Análise de traduções de Lev Semionovitch Vigotski no Brasil. Repercussões no campo educacional*. Tese (doutorado em Educação), Universidade de Brasília, Brasília (DF), 2010.

RAMOS, Eduarda. "Bonecas Abayomi: o perigo de contar uma história hegemônica". *Lunetas* (online), 30 ago. 2021. Disponível em: <https://lunetas.com.br/bonecas-abayomi/>. Acesso em: 24 nov. 2021.

RAMOS, Marli; COPPOLA, Neusa. "O uso do computador e da internet como ferramentas pedagógicas". *Dia a Dia Educação*, Governo do Estado do Paraná, 2009. Disponível em: <http://www.diaadiaeducacao.pr.gov.br/portals/pde/arquivos/2551-8.pdf>. Acesso em: 21 nov. 2021.

RANCIÈRE, Jacques. *A partilha do sensível – Estética e política*. Trad. Monica Costa Neto. 2. ed. São Paulo: Editora 34, 2009.

RENGEL, Lenira P. "Prefácio". In: ALMEIDA, Fernanda de S. *Dança e educação – 30 experiências lúdicas com crianças*. São Paulo: Summus, 2018, p. 9-12.

RIBEIRO, Jonas. *Ouvidos dourados: a arte de ouvir histórias... para depois contá--las...* São Paulo: Ave Maria, 1999.

RIZZINI, Irene; NEUMANN, Mariana.; CISNEROS, Arianna. "Estudos contemporâneos sobre a infância e paradigmas de direitos. Reflexões com base nas vozes de crianças e adolescentes em situação de rua no Rio de Janeiro". *O social em questão*, Rio de Janeiro, ano XX, n. 21, 2009, p. 60-73. Disponível em: <http://osocialemquestao.ser.puc-rio.br/media/v10n21a05.pdf>. Acesso em: 29 nov. 2021.

ROMERO, José S.; FARIA, Ítalo R. "A dança no universo digital". In: *Anais do IV Congresso Nacional de Pesquisadores em Dança*, 2016. Disponível em: <https://proceedings.science/anda/anda-2016/papers/danca-no-universo-digital> Acesso em: 15 out. 2017.

ROSSETO, Robson. *Jogos e improvisação teatral*. Guarapuava: Unicentro, 2012.

SÁ, Andreza L. M. de. *Pequenos brincantes da educação infantil – Uma proposta em dança e culturas populares brasileiras*. Monografia (licenciatura em Dança), Universidade Federal de Goiás, Goiás (GO), 2018.

SANTAELLA, Lucia. *Matrizes da linguagem e pensamento: sonora, visual, verbal – Aplicações na hipermídia*. São Paulo: Iluminuras/Fapesp, 2005.

SANTINHO, Gabriela D. S.; OLIVEIRA, Kamilla M. *Improvisação em dança*. Guarapuava: Unicentro, 2016.

SANTOS, Júlia de A. H. dos. *Quando a dança encontra a criança: um estudo acerca da criação em dança contemporânea para crianças*. Dissertação (mestrado em Estética e História da Arte), Universidade de São Paulo, São Paulo (SP), 2017.

SANTOS, Sandro V. S. dos. "Walter Benjamin e a experiência infantil: contribuições para a educação infantil". *Pro-Posições*, v. 26, n. 2, maio-ago. 2015, p. 223-39.

SARAIVA-KUNZ, Maria do Carmo. "Ensinando a dança através da improvisação". *Revista Motrivivência*, Florianópolis, n. 5-7, dez. 1994, p. 166-69. Disponível em: <https://periodicos.ufsc.br/index.php/motrivivencia/article/view/14661/13438>. Acesso em: 25 nov. 2021.

SARMENTO, Manuel J. "Gerações e alteridade – Interrogações a partir da sociologia da infância: pesquisa com crianças". *Cedes*, Campinas, v. 26, n. 91, 2005, p. 361-78.

SAYÃO, Deborah T. "Corpo e movimento: notas para problematizar algumas questões relacionadas à educação infantil e à educação física". *Revista Brasileira de Ciências do Esporte*, Campinas, v. 23, n. 2, jan. 2002a, p. 55-67.

_____. "Crianças: substantivo plural". *Zero-a-Seis*, Florianópolis, v. 4, n. 6, jul.-dez. 2002b. Disponível em: <https://periodicos.ufsc.br/index.php/zeroseis/article/view/10318>. Acesso em: 24 nov. 2021.

SCHÖN, Donald A. "Formar professores como profissionais reflexivos". In: NÓVOA, António (org.). *Os professores e a sua formação*. Lisboa: Dom Quixote, 1992, p. 79-91.

SCHULMANN, Nathalie. "Da prática do jogo ao domínio do gesto". *Lições de Dança*, v. 1, n. 2, 2006.

SLADE, Peter. *O jogo dramático infantil*. Trad. Tatiana Belinsky. São Paulo: Summus, 1978.

SILVA, Raniele P. da. *A importância do lúdico no desenvolvimento de crianças praticantes de balé clássico (baby class): uma forma de educar*. Monografia (conclusão de curso em Educação Física), Universidade Federal do Rio Grande do Norte, Natal (RN), 2013.

SILVA, Renata de L. "Mandinga da rua: a construção de um corpo poeticamente crítico". In: LIBÂNEO, José C.; SUANNO, Marilza V. R.; LIMONTA, Sandra V. (orgs.). *Didática e práticas de ensino – Texto e contexto em diferentes áreas do conhecimento*. Goiânia: Ceped, 2011.

SIQUEIRA, Denise da C. O. *Corpo, comunicação e cultura – A dança contemporânea em cena*. Campinas: Autores Associados, 2006.

SOUZA, Nilva P. de. *Pesquisa e ensino em jogos e brincadeiras*. Goiânia: UFG/FEF/Ciar/Funape, 2011.

Spolin, Viola. *Jogos teatrais na sala de aula – Um manual para o professor*. São Paulo: Perspectiva, 2007.

Strazzacappa, Márcia. "A tal 'dança criativa' – Afinal, que dança não seria?" In: Tomazzoni, Airton; Wosniak, Cristiane; Marinho, Nirvana. *Algumas perguntas sobre dança e educação*. Joinville. Nova Letra, 2010, p. 29-46.

Subcomandante Marcos. *Os diabos do novo século* (carta a Eduardo Galeano). Trad. Ezequiel R. dos Santos. 2001. Disponível em: <https://www.nodo50.org/insurgentes/textos/zapatismo/08diabos.htm>. Acesso em: 12 nov. 2021.

Thiollent, Michel. *Metodologia da pesquisa-ação*. São Paulo: Cortez, 1986.

Tonucci, Francesco. "Primera parte, el proyecto". In: *La ciudad de los niños – Un modo nuevo de pensar la ciudad*. Buenos Aires: Posadas, 2010.

Tourinho, Lígia. "Jogo coreográfico: uma proposta pedagógica e artística sobre o fenômeno da composição coreográfica e dramatúrgica na dança contemporânea". *Anais* da IV Reunião Científica de Pesquisa e Pós-Graduação em Artes Cênicas, v. 8, n. 1, 2007. Disponível em: <https://www.publionline.iar.unicamp.br/index.php/abrace/article/view/1202/1300>. Acesso em: 19 nov. 2021.

Vieira, Alba P.; Teixeira, Letícia O.; Teixeira, Guilherme F. "Ludicidade e dança: 'improvisando' expressões artísticas na educação infantil". *Relatórios de Pesquisa em Interface com Extensão*. Viçosa: UFV, 2010.

Vieira, Alba P. *et al*. "Qualificando mostras de dança com crianças – Processos colaborativos, apreciação ao vivo e de registros em vídeos". In: *Anais* do Seminário Internacional Descobrir a Dança/Descobrindo através da Dança e 1º Encontro Nacional da DaCi/Portugal. Lisboa: Sidd, 2012.

Vilela, Lilian. "A dança e as crianças". In: Greiner, Christine; Espírito Santo, Cristina; Sobral, Sonia. *Cartografia Rumos Itaú Cultural dança – Formação e criação*. São Paulo: Itaú Cultural, 2014. Disponível em: <https://issuu.com/itaucultural/docs/rumosdanca_final_issuu>. Acesso em: 17 nov. 2021.

Vigotski, Lev S. *A formação social da mente*. São Paulo: Martins Fontes, 1999.

_____. *Psicologia pedagógica*. 3. ed. São Paulo: Martins, 2010.

Wallon, Henri. *Psicologia e educação da infância*. Trad. Ana Rabaça. Lisboa: Estampa, 1975.

_____. *A evolução psicológica da criança*. Trad. Cláudia Berliner. São Paulo: Martins Fontes, 2007.

WOLLZ, Larissa E. B.; CERQUEIRA, Juliana C.; MÜLLER, Rita F. "As pequenas bailarinas do *baby class*: construções do feminino no ensino do balé". *Demetra*, v. 11, n. 3, 2016, p. 745-62. Disponível em: <http://www.e-publicacoes.uerj.br/index.php/demetra/article/view/22504/18423#.WBtu7vkrLIU>. Acesso em: 29 nov. 2021.

YOSHINAGA, Gilberto. *Nelson Triunfo – Do sertão ao hip-hop*. São Paulo: LiteraRUA, 2014.

ZAMBONI, Silvio. *Pesquisa em arte – Um paralelo entre arte e ciência*. Campinas: Autores Associados, 1998.

ZAN, Dirce D. P. "Fotografia, currículo e cotidiano escolar". *Pro-Posições*, v. 21, n. 1, 2010, p. 149-161.

ZILBERMAN, Regina. *Como e por que ler a literatura infantil brasileira*. Rio de Janeiro: Objetiva, 2005.

AGRADECIMENTOS

À Universidade Federal de Goiás (UFG), precisamente à Faculdade de Educação Física e Dança (FEFD), em especial ao curso de licenciatura em Dança, bem como às equipes docente, discente e técnica, que possibilitaram o encontro desse coletivo e as realizações do Dançarelando nos seus diversos âmbitos e contextos.

Ao Departamento Pedagógico da Secretaria Municipal de Educação de Goiânia, que permitiu a realização das pesquisas e ações do Dançarelando nos Centros Municipais de Educação Infantil (CMEIs) e nos Centros de Educação Infantil (CEIs).

Aos gestores, docentes, assistentes, equipe de profissionais e toda a comunidade das nove instituições de educação formal atendidas.

A minhas e meus mais queridas/os cúmplices do Grupo de Pesquisa em Dança: Arte, Educação e Infância (GPDAEI): Letícia, Jéssica, Taynara, Andreza, Anne, Bruno, Luana e Deyzylany, que aceitaram os futurismos, devaneios, peraltices, balas e pirulitos.

Às companheiras de an*danças* e mu*danças* vividas, gestualizadas, debatidas, escritas, pesquisadas, apreciadas e sentidas: Carolina Romano e Princesa Ricardo Marinelli.

Vocês foram a razão central para que o Dançarelando existisse, germinasse e crescesse. Gratidão pelo amor, cuidado, recepção, disposição, partilha e confiança.

SOBRE NÓS: ARTISTAS, DOCENTES, ARTEIRAS, INQUIETAS E SONHADORAS

Quem você é, antes de dizer o que você faz?

Andreza Lucena Minervino de Sá é criancista e poetisa com a cabeça cheia de ideias mirabolantes, plantadora de sementes e amante dos sorrisos bobos. Graduanda no curso de licenciatura em Dança da Universidade Federal de Goiânia (UFG), participa do Grupo de Pesquisa em Dança: Arte, Educação e Infância (GPDAEI) e atua como docente mediando experiências dançantes com as crianças pequenas. E-mail: andrezalucenadesa@gmail.com.

Carolina Romano de Andrade é artista da dança que empresta seu olhar para a educação. Pesquisadora e educadora, trabalha com dança e formação de professores para a dança na educação básica. Bacharel, licenciada em Dança e mestre em artes pela Universidade Estadual de Campinas (Unicamp), é também doutora indicada ao Prêmio Capes de Tese. Realizou pós-doutorado em artes na Universidade Estadual de São Paulo (Unesp) e na Universidade Federal do Rio Grande do Norte (UFRN), na área de currículo para a arte/dança. Atua como professora colaboradora do mestrado profissional (*stricto sensu*) em Artes do Instituto de Artes da Unesp/SP. E-mail: carolromano@hotmail.com.

Deyzylany Ferreira Neves é, parafraseando Paulo Freire, esperançosa do verbo "esperançar". Licenciada em Dança pela Universidade Federal de Goiás (UFG), é discente do programa de mestrado profissional de Ensino na Educação Básica do Centro de Ensino e Pesquisa Aplicada à Educação (Cepae-UFG). Atualmente, desenvolve pesquisas sobre o ensino das artes (Dança) mediado por tecnologias da informação e comunicação (TIC) na educação básica. E-mail: deyzylanyf.n@gmail.com.

Fernanda de Souza Almeida é curiosa e entusiasta da vida. Uma pessoa do movimento do corpo, das ideias, dos tempos e dos espaços. Ridente e brincante por excelência, é mestre em Artes pela Universidade Estadual Paulista (Unesp) e doutoranda em Educação pela Universidade de São Paulo (USP). Atua como docente no curso de licenciatura em Dança da Universidade Federal de Goiás (UFG) e coordena o projeto de pesquisa, extensão e formação Dançarelando. E-mail: fefalmeida@gmail.com.

Nilva Pessoa de Souza é apaixonada por e estudiosa de jogos e brincadeiras, pesquisando sobre o brincar e jogar pelo olhar de crianças de 4 a 8 anos. Formada em Educação Física, tem mestrado em Pedagogia do Movimento Humano e doutorado em Pedagogia do Esporte pela Universidade Estadual de Campinas (Unicamp). Atualmente, é professora aposentada pela Faculdade de Educação Física da Universidade Federal de Goiânia (UFG).

Princesa Ricardo Marinelli é um fractal de desejos, intensidades e sonhos. Artista da dança, terrorista de gênero e entusiasta de um mundo para além da humanidade. Mestra em Educação pela Universidade Federal do Paraná (UFPR), é doutoranda em Performances Culturais pela Universidade Federal de Goiás (UFG). Compõe o corpo docente dos cursos de bacharelado e licenciatura em Dança da Universidade Estadual do Paraná (Unespar). E-mail: princesa.ricardo@gmail.com.

Taynara Ferreira Silva é uma empreendedora apaixonada, que floresce a cada amanhecer. Fundadora do Studio Inovarte, localizado na cidade de Inhumas (GO), é graduada em Educação Física pela Universidade Federal de Goiás (UFG) e membro do Grupo de Pesquisa em Dança: Arte, Educação e Infância. E-mail: tay.danca@gmail.com.

www.gruposummus.com.br